UN DÉTOUR À YPORT

PIERRE BUTIN

UN DÉTOUR À YPORT

Édition : BoD – Books on Demand,
12/14 rond-point des Champs-Élysées, 75008 Paris
Impression : BoD - Books on Demand, Norderstedt, Allemagne
ISBN: 9782322394395
Dépôt légal : Avril 2022

« *Parfois elle restait assise durant tout un après-midi à regarder la mer du haut de la falaise ; parfois, elle descendait jusqu'à Yport à travers le bois, refaisant des promenades anciennes dont le souvenir la poursuivait. Comme c'était loin, comme c'était loin, le temps où elle parcourait ce même pays, jeune fille, et grise de rêves.* » (chap. 11) ;

« *Ce qui lui manquait si fort, c'était la mer, sa grande voisine depuis vingt-cinq ans, la mer avec son air salé, ses colères, sa voix grondeuse, ses souffles puissants, la mer que chaque matin elle voyait de sa fenêtre des Peuples, qu'elle respirait jour et nuit, qu'elle sentait près d'elle, qu'elle s'était mise à aimer comme une personne sans s'en douter.* » (chap. 13)

(Maupassant, *Une Vie*)

I.

Comme un qui s'est perdu dans la forest profonde
Loing de chemin, d'oree, et d'addresse, et de gens

De nuit… Levé depuis un certain temps déjà, bien avant l'aube enivrante de promesses et d'aventures comme une page blanche où tout reste à écrire, comme un paysage recouvert de neige pendant la période des ténèbres. Tel un moine réveillé pour l'office de la nuit, dont le chant grégorien résonne au milieu du grand silence de l'obscurité profonde. Sa voix pure comme la flamme fragile et douce d'une simple bougie allumée pour nous faire garder espoir en ces temps terribles de l'âge noir, la lumière de ma chandelle verte. Tel un chevalier qui s'apprête à partir à la guerre sainte pour sauver le royaume et défendre les lieux sacrés. Alors que tout le monde dort encore paisiblement, que le pire cataclysme aurait pu se produire dans les ombres de l'ignorance, de l'insouciance et de l'indifférence générales, que la fin du monde aurait pu venir comme un voleur dans l'espace d'un éclair. Qui veille et prie encore à cette heure ? Qui reste encore debout, fidèle dans son amour, zélé du zèle même du Dieu des armées, comme Élie ou Phinée ? Que ce « petit reste », ce petit nombre caché et non corrompu, est précieux !

Rejetons donc les œuvres des ténèbres et revêtons les armes de lumière. Ô le blanc de l'écume étincelante des vagues de l'abîme venant se briser sur la plage ! Ô le blanc de la Vierge immaculée au manteau de pureté qui nous protège et prie pour nous, pauvres pécheurs ! Ô le blanc de la bannière victorieuse du Saint-Esprit au Droit Désir ! Ô le blanc du cerf miraculeux ! Ô l'éclatante lumière incréée du Thabor qui descend du haut du crâne le long de l'axe coronal, sur la voie royale de la croix du Golgotha, au secret du cœur brûlant d'amour d'une flamme humble et tenace dans la nuit et la tempête ! A sa fine pointe subtile, où l'état le plus bas et ignoré rejoint miraculeusement le sommet même de la montagne spirituelle de la contemplation, dans une coïncidence inouïe des opposés. Cette montagne il me faut la gravir avec beaucoup de difficulté et de peine, mais je me réjouis de le faire, jour après jour, pas à pas.

Je n'étais pas habitué à ce changement de point de vue, ce retournement intérieur, ce nouveau paradigme ontologique, cette révolution métaphysique, cette traversée solitaire du désert aride, de la nuit obscure, de la forêt profonde, cet anéantissement de toute logique cartésienne orgueilleuse, ce passage à l'étage supérieur par l'escalier secret, ce saut de l'ange dans le vide de tout ce qui nous dépasse. Au-delà de tout le remue-ménage remue-méninges de nos pensées et de nos représentations mentales habituelles, confuses et restreintes, de nos images toutes faites à notre ressemblance, de nos idoles sans amour et sans vie, de nos tendances qui nous tirent vers le bas, de nos passions désordonnées et de nos fantasmes maladifs. Ces fantômes bruyants et livides qui sortent la nuit, ces obsessions irrationnelles qui continuent à hanter nos maisons, nos rues, nos places, nos cœurs envahis par les forces dissolvantes de l'extérieur, désormais ouverts à tous les vents maudits et à toutes les invasions barbares, aux faux prophètes et aux faux messies, aux hordes de Gog et Magog, aux furieux loups des steppes d'Asie Centrale, aux enragés Édomites combattant et pillant. Les conflits et les guerres, basés sur la haine et le mensonge, sont le fruit même du péché des hommes, fruit amer et mortifère qu'ils vont certainement à nouveau bientôt goûter. Et ce sera encore plus qu'avant la « guerre des cerveaux » préparée dans d'inquiétantes arrière-loges et cabinets noirs, dans l'envers du décor.

La catastrophe inconcevable est là tapie à nos portes, sous nos yeux aveuglés, ourdie au plus profond des ténèbres dans un complot remontant à la nuit des temps mais s'actualisant terriblement dans l'histoire contemporaine. Le mystère d'iniquité est presque là visible et touchable, lui qui s'était si soigneusement caché dans les coulisses et les recoins, les bas-fonds et les égouts. Il veut désormais s'exposer, en montrant au grand jour son soleil noir, la lumière noire de sa doctrine de Satan. Le grand spectacle parodique, cynique, odieux et blasphématoire peut enfin commencer… Et ils vont venir applaudir par milliers, par millions. L'acteur s'avance pour jouer la représentation tragique et grandiloquente de l'œuvre du Malin.

La ville au milieu des marais est devenue, dans une misère généralisée et une perte de toutes valeurs, un repaire de brigands et de magiciens et un vaste lupanar à ciel ouvert, où tous se livrent aux délits et aux vices, suivant leurs pulsions individualistes, égoïstes et animales. Elle devient peu à peu la capitale de l'empire des ténèbres pour un moment, ayant recueilli les reliques maudites du temps passé, les pierres du temple impie de Pergame et la grande Porte d'Ishtar (« victorieuse de ses ennemis ») de la Grande Babylone. Les germes putrescents d'une nouvelle et politique peste ténébreuse. Luther le maudit est de retour et son ombre maléfique va bientôt couvrir la surface de la terre.

La grande ville de péché, tragiquement et scientifiquement envoûtée, fourmilière de sectes étranges et abominables où œuvrent sorciers et gourous, dort encore dans un état d'abrutissement et d'aliénation précédant l'agitation insensée et la circulation magnétique des foules hypnotisées par le rythme trépidant et ensorcelant des bruits assourdissants des bottes, des chants martiaux, des cris d'allégresse et de haine et des canons, des discours interminables, des rituels collectifs de messe noire et des spectaculaires cérémonies magiques. Des mises en scène grandioses et quelque peu grotesques de ce mystère diabolique de l'idolâtrie de l'homme qui se fait Dieu. Tout comme César-Antéchrist, à la tête d'un immense empire militaire conquis à la force des armes par ses sombres légions de mercenaires sans foi ni loi, avait bâti des temples à sa gloire et à sa divinisation autoproclamée, le nouveau chef et guide suprême veut régner d'une main de fer. Alors qu'il n'est qu'une marionnette désarticulée dans les puissantes mains aux gants verts des ténèbres... Et une grande partie du monde va le suivre jusqu'au bord de l'abîme de la destruction finale. Les antiquités maudites d'anciennes grandes civilisations mortes ont été, de façon nécromantique, ramenées en Europe ainsi que le trône de Satan. Qui va oser s'y asseoir et pour combien de temps ?

Pourquoi les hommes courent-ils ainsi après le néant et la poussière, le creux, le faux et le toc, après leur propre ombre et leur propre vanité comme un chien enragé après son os, comme des automates, des zombies, des fantômes, des morts enterrant leurs

13

morts, des fous, des possédés ? Fidèles disciples de l'infâme Épicure, ils ne cherchent comme des pourceaux qu'à consommer et à se divertir en jouissant de l'instant présent, sans penser à la vie éternelle et au Royaume des Cieux. Et il est écrit que l'on ne doit pas leur jeter les précieuses perles mystiques dont je ferai un magnifique collier que je mettrai moi-même au cou de ma bien-aimée.

*

Ce midi je n'ai pas pu me présenter à mon rendez-vous. J'étais pourtant parti de bien bonne heure, plein d'entrain, de plaisante humeur et d'espérance, avec comme point de départ symbolique de mon périple haut-normand le menhir en grès de la « Pierre-Fouret » (*le commencement est la moitié de tout*).

Encore appelé « Pierre du Fourey », « menhir de Gency » ou aussi « palet de Gargantua » ou « Pierre des Sarrazins », il se situe au milieu des vignes, sur la rive droite des boucles de l'Oise à Cergy. Près de Pontoise où j'habite depuis quelques années et où j'aime passer devant le musée Tavet-Delacour, qui rappelle l'hôtel de Cluny à Paris, et me recueillir aussi dans la chapelle du dix-septième siècle du célèbre Carmel. Cette « Pierre-Fouret » matérialiserait une très ancienne limite entre deux territoires néolithiques, séparant ainsi les tribus gauloises des *Véliocasses* et des *Parisii* correspondant plus tard aux diocèses de Rouen et de Paris. Elle m'amènera aussi à une autre pierre mégalithique en pleine forêt d'une boucle de Seine. Enfin et surtout à une pierre pyramidale, mystérieux monument funéraire gallo-romain dont on me révélera le secret…

Tu ne craindras pas la terreur de la nuit, ni la flèche volant le jour, ni la peste qui marche dans les ténèbres, ni la destruction qui frappe en plein midi.

Mes pas se sont perdus dans la neige du silence et de la solitude et dans l'insomnie des nuits blanches de pleine lune où j'écris avec peine le pauvre roman de ma vie, dans les larmes et la sueur, dans le sang de mon encre rouge comme celle des dédicaces de Jules Barbey d'Aurevilly. Ma route est définitivement celle des surprises et des coups de théâtre et de foudre, des abîmes vertigineux et des profondeurs insoupçonnées, des vases vides d'humilité et de néant prêts à accueillir et à recueillir le vin fort de l'absolu, de ces creux de la vague hautement recherchés et préférables à toutes les vaines élévations humaines, prométhéennes et lucifériennes. Tout est dans l'humilité, qui n'est autre que notre vérité.

Parti avant l'aurore aux doigts de rose, du rose de ces roses sauvages versées généreusement du mystérieux tablier spirituel et hautement initiatique, du scapulaire marial des saintes Roseline, Germaine et Thérèse qui me guident sur la route et intercèdent pour votre serviteur. De ces roses eucharistiquement transformées en pain pour les pauvres. Mais sommes-nous encore ces pauvres mendiants ? Ou restons-nous riches de nos certitudes intellectuelles et de nos actions, de nos tours de pouvoir et de nos magies, des miroirs de notre ego, de nos trésors maudits, de nos attachements mondains, de nos plaisirs charnels ?

J'ai pourtant fait l'effort de me déplacer et ce rendez-vous (au sens propre et fort des mots que l'on ne sait plus entendre...) était prévu de longue date, pris comme l'on prend une place forte (ô la ville haute de Bergame protégée par ses fortifications !).

Quelle est mystérieuse la trame de notre existence à chacun ! De même qu'une tenture (robe nuptiale ou drap mortuaire ?) tissée par les doigts de charmantes et malicieuses fées enchanteresses et terribles filles du destin. Elles filent la laine blanche et la soie du temps comme on file la métaphore et travaillent la nuit (tout comme Mélusine...) - quand seul le bruit des vagues et du vent dans les branches vient bercer le sommeil des hommes - sur les grandes et luxueuses tapisseries symboliques de la vie et de la mort, aux motifs riches de sens et aux couleurs éclatantes de gaude, de garance, de pastel et d'indigo.

Par ailleurs, la chaîne magique qui retient Fenrir est lisse et douce comme un ruban de soie bleue façonné par les nains à partir du bruit de pas d'un chat, de la barbe d'une femme, des racines d'une montagne, des tendons d'un ours, du souffle d'un poisson et du crachat d'un oiseau, mais heureusement solide et forte… Le geôlier du loup et le dieu des batailles même a sacrifié sa précieuse main dans sa gueule béante pour l'enchaîner jusqu'au crépuscule des dieux. Malheur à celui qui veut venir libérer la bête immonde et géante des marais, le loup des enfers, le cauchemar des peuples !

Mon écritoire au côté et le chaperon sur l'épaule, j'ai beaucoup d'histoires à raconter en attente dans mes cartons et je crois bien que mon roman, ou du moins ce qui y ressemble encore dans un flou artistique, malgré ma maîtrise des figures de style et des procédés de l'art oratoire des jongleurs du temps passé, ressemble à cette toile toujours à refaire de Pénélope (ô la fidèle épouse résistant à tant de prétendants pendant tant d'années !), qui est notre Mère l'Oye et qui attend si sagement le retour du rusé Ulysse-Jacob de la guerre de Troie.

Oui il est long d'écrire et tout notre art de gratte-papier réside dans l'humilité et dans la patience : « la Patience est l'échelle des Philosophes et l'Humilité est la porte de leur Jardin ». C'est la folle espérance de la victoire promise lors du combat final à celui qui pourra résister jusqu'au bout de la nuit sans étoiles des tribulations et du néant. Jusqu'à obtenir la pierre blanche et le nom secret... Mais, mon ami, *prête-moi ta plume* et reprenons le fil rouge de mon discours, le cours du Jourdain, le méridien sacré de ma narration bercée par le *Clair de lune* en ré bémol majeur et do dièse mineur de Debussy.

> *Je ay rudement dicte l'ystoire,*
> *Mez fermement la devon croire,*
> *Quer saintes gent l'ont approuvée*
> *Et miracles l'ont confermée ;*
> *Devant le sanc donc merchi crie*
> *Tu qui ceu lis, et pour moi prie.*

Cet événement à venir était tellement important pour moi et ma librairie de livres anciens que je n'en avais presque pas dormi de la nuit, dans les terreurs et les fantômes tapis dans l'ombre, me retournant sans cesse comme une crêpe bretonne sur le lit normand de ma chambre d'hôtel rouennaise, ressassant en long, en large et en travers mes plans stratégiques d'attaque et de défense sur l'échiquier dramatique ou le pavé mosaïque, ruminant sans cesse comme un lièvre mes idées et mes paroles pour la négociation de ce qui pouvait bien représenter pour moi et ma librairie la « vente du siècle ». Ma librairie s'appelle « Le Livre Ouvert » et a pour logo un angelot en train de lire, le bras gauche posé sur une pile d'ouvrages (château de Maisons, dix-septième siècle, détail d'un groupe d'enfants, dû à Philippe de Buyster). Elle est située en région parisienne à Pontoise, là où naquit le célèbre Nicolas Flamel, copiste, écrivain-public et libraire-juré. Figure emblématique que je devais étrangement - lui ou plutôt ce qu'il représente encore et dont il est le nom - bientôt rencontrer, comme un « frère » et « confrère » libraire, sur ma route par des voies fort énigmatiques. J'étais conscient que c'était là la chance unique de ma vie professionnelle, de ma vie tout court, et que je n'avais pas le droit à l'erreur. C'était tout ou rien, un pari fou, l'occasion rêvée et unique ! Tout jouer ainsi à pile ou face avec une pièce en or dans la main, dans le jeu truqué du destin.

Car j'étais avant tout un commerçant sans beaucoup de scrupules, attiré par l'appât terrible du gain, une course insensée et sans fin au profit, toujours à la recherche de la perle rare. Je calculais sans cesse la plus grosse marge à me faire dans une dialectique implacable de l'achat et de la vente, courant après l'or qui me brûlait les doigts comme un fou après son ombre au milieu du désert en plein midi. Mais je sais que ce trésor périssable porte malheur à celui qui cherche à s'en emparer et je ne suis pas dupe. Je n'ai finalement pas voulu adorer le Veau d'Or, mais ses disciples criminels et fanatiques sont désormais partis à ma recherche, remplis de mauvais desseins.

Ceci dit, j'étais vraiment bibliophile et un vrai rat de bibliothèque, religieusement silencieux et respectueux devant les trésors livresques, tel un moine noir au scriptorium de son abbaye. Je ne négociais pas les vieux bouquins avec mépris comme on vendrait des sacs de patates au premier venu. J'avais vraiment l'amour du métier, dans l'esprit de compagnonnage initiatique des anciens copistes de la rue médiévale et parisienne des Écrivains - où demeurait « feu Nicolas Flamel, jadis écrivain et libraire » - et des libraires-imprimeurs de la Renaissance. Et je tenais ainsi précieusement et jalousement une liste restreinte de clients importants et prestigieux triés sur le volet, privés ou publics, partout dans le monde. Cette liste hautement secrète, je l'avais notée sur un carnet noir que je gardais toujours sur moi au cas où, dans une poche intérieure de ma veste que je ne quittais jamais pour sortir. Par ailleurs, ma passion personnelle était de plus en plus en concurrence avec mes obligations financières de faire tourner la boutique, dans la tentation de garder pour moi les volumes sinon les plus précieux du moins les plus intéressants à mes yeux.

∗

Mortel par mes craintes et immortel par mes désirs.

Dans un étrange état lunaire entre rêve et réalité, entre craintes et désirs, et dans une sorte de dédoublement comme si mon esprit sortait de mon corps dans un vol puissant et mystérieux en traversant le miroir capricieux et trompeur de l'illusion universelle, je répétais ainsi dans ma tête jusque dans ses moindres détails cette scène qui devait être capitale dans la tragi-comique pièce de mon existence. Celle-ci - il faut bien le reconnaître - n'avait jusqu'ici guère brillé par son éclat ou son originalité, surtout nourrie de rêves improbables et de fantaisies sans queue ni tête, d'idéalisme sauvage, de sublimes aspirations, de subtiles pensées, de puissantes envies et de périlleuses volatilisations à fixer. Comme les chevaux fous des vagues déchaînées, je partais alors souvent dans tous les sens, l'esprit agité d'idées et de projets, d'affaires commerciales, de constructions mentales grandioses, d'images magnifiques, d'hypothèses tirées par les cheveux, de calculs improbables et de déterminations obsessionnelles ; roulant en quelque sorte sur moi-même dans une répétition infinie, comme une vague sans fin, comme une coquille d'escargot, comme un serpent qui se mord la queue. Toute cette force et toute cette énergie avaient besoin d'être canalisées et dirigées, orientées vers le haut, utilisées à bon escient. Bien qu'encore freiné par ma peur inconsciente, j'étais irrésistiblement poussé par mon « désir désiré » d'absolu et de sainteté (il n'y a pas de sainteté sans désir de sainteté). Jusqu'à arriver là où je devais aller, malgré et contre tout, malgré et contre moi-même surtout.

Comme ce qui devait arriver ne l'est pas - mort en quelque sorte avant même d'être né, avorté dans les limbes de l'oubli et du non-être - c'est désormais un théâtre d'ombres chinoises (ô les sombres facéties du Chat noir !) et de fantômes incertains qui hante mon esprit curieux, toujours féru d'aventures et de mystères de toutes sortes, d'alphabets et de signes secrets, de langues mortes, de langages scellés et d'énigmes, de jargons de lanternois, de figures hiéroglyphiques, de mystérieux trésors à découvrir. Irrémédiablement attiré par les vieilles pierres, les livres poussiéreux et les saintes reliques d'un autre âge.

Et ce point de fuite dans la perspective toute tracée de ma réussite s'est définitivement transformé à mes yeux en un point de non-retour où les masques se mettent à tomber, où le monde s'effondre. C'en est fini pour moi, pensais-je alors. Sous un vent de démence, le beau château de cartes, mon invraisemblable château en Espagne si patiemment élevé, s'est écroulé d'un coup dans les fracas de l'enfer et les menaces de faillite : « la Sagesse bâtit sa Maison, de sa main la folie la renverse ». La « Machine à Gloire » semble avoir pris un coup de froid et s'être soudainement arrêtée sous les yeux médusés des spectateurs abrutis...

Il me faut traverser les épreuves de la crainte et du trouble pour retrouver la claire pureté de mon dardant et unique ardant désir de vérité, passer de la peur de « cette forêt sauvage, et si âpre, et si rude » au courage, face à tant de périls imminents.

Et pour me calmer et pouvoir enfin m'endormir, espérant ainsi atteindre « le repos aux fatigués » après une dure ascension, j'écoute souvent l'un des magnifiques *Nocturnes* de Chopin ou encore *La Cathédrale Engloutie* de Debussy...

*

Ne commence rien dont tu puisses te repentir dans la suite, garde-toi d'entreprendre ce que tu ne sais pas faire et commence par t'instruire de ce que tu dois savoir.

Pourtant *j'étais bien à l'heure* (ô l'horloge de 1667 d'Antoine Bessac et son ange timonier !), malgré ma sainte horreur des agendas et mon absence de montre, malgré ma difficulté à rentrer dans des cases précises et à tenir un emploi du temps serré et bien établi. Je sais, c'est là mon côté artiste bohême... De ce point-de-vue, je n'aurais jamais pu être ministre ou un pion sur l'échiquier... et peu importent en fait les portefeuilles en maroquin auxquels je ne tiens pas du tout ! Me voila donc définitivement « décalé » et inadapté à la vie trépidante et folle de ce monde moderne, dans lequel je n'ai en rien ma place et qui me rend bien mon indifférence voire même mon mépris le plus profond pour lui. Il s'effondre jour après jour de plus en plus vite dans un retour au chaos terrible, une nuit de fer nordique et glaciale, une masse noire indifférenciée et quantifiée, une subversion généralisée, une inversion des valeurs et une confusion sans nom.

Je ne rêve en fait qu'à un exil lointain et solitaire où l'on ne pourra jamais venir me chercher et me déranger dans mon ermitage avant la pierre blanche (« L'Hermitage », « Les Monts l'Hermite »...) : par exemple un refuge secret au fond de la forêt des Andaines sous la bénédiction des anciens ermites du Passais et la protection de la fée Andaine liée à la famille d'Argouges, ou au milieu des falaises et des méandres de la Fosse Arthour (et de sa « chambre du roi »), de la forêt d'Huelgoat où coule la Rivière d'Argent ou encore de la Roche d'Oëtre au bas de laquelle coule la Rouvre... Pourquoi pas aussi à l'abri au cœur des Grands Marais de Chézeaux ou encore dans l'Île Tristan en baie de Douarnenez...

En fait, rien de plus excitant qu'une page d'agenda blanche, vierge de tout rendez-vous... Enfin se sentir libre et ouvert à l'aventure, comme on disait au Moyen Age. Et quelque chose me dit que les grandes quêtes chevaleresques d'autrefois peuvent être encore vécues de nos jours, bien qu'encore plus merveilleuses et périlleuses, encore plus réservées à une mystérieuse élite spirituelle d'hommes de désir, invisible à nos yeux de mortels. Mais là il y avait une convocation de première importance, marquée d'une pierre blanche de la lieue et du loup, un terrible et incompréhensible rendez-vous avec mon destin, qui allait changer toute ma vie.

*

Délaisse les grandes routes, prends les sentiers.

Il faut ici rappeler qu'avant d'être expert en livres anciens j'ai fait des études d'histoire et de littérature médiévales en Sorbonne, dans une vie antérieure en quelque sorte, où j'ai pu travailler en détail sur les formidables romans de chevalerie de la Table Ronde et du Graal... J'ai souvent eu l'impression d'être un de ces chevaliers, perdu dans les tristes et sinistres temps modernes, un chevalier errant tel Lancelot, « le meilleur chevalier du monde », qui incarne la figure archétypale de saint Fraimbault. Ma préférence a toujours été à la diagonale du fou des sinueux chemins de traverse du hasard - ou plutôt de la Providence qui ouvre le champ des possibles et les voies de la grâce - et guère aux désespérantes routes toutes tracées d'avance d'une vie d'ennui et d'ignorance, illusoirement prédéterminée, gérée et planifiée, une triste existence d'esclavage et de frustration, voulue par d'autres. Lâchant prise et se laissant aller à l'Esprit, au puissant vent du large, il faut mieux délaisser les grandes routes, les vastes chemins battus et rebattus par les moutons imbéciles et prendre, en suivant les pas de l'inconnu, les sentiers étroits, difficiles et ignorés du plus grand nombre, mais si héroïques, magnifiques, utiles et efficaces. Heureusement qu'un imprévu vient quand même souvent au bord des routes, comme un lapin malicieux (un lapin de garenne ou de varenne...), déjouer les plans et égarer les voyageurs trop sûrs d'eux suivant leur plan à la lettre, en semant à l'occasion une belle panique et pagaille, voire de grandes angoisses !

En fait, rien ne s'est jamais passé comme je l'avais prévu et envisagé dans ma vie. Et tant pis ou tant mieux, je ne sais pas trop encore. C'est ainsi en tout cas et je ne peux rien y faire, rien changer et surtout ne pas revenir en arrière.

Parfois aussi un simple grain de sable peut bloquer tous les rouages savants de la machine à exterminer ou à égaliser du système totalitaire et concentrationnaire, une minuscule fissure de lumière peut faire définitivement tomber les hauts et terribles murs des labyrinthes monstrueux, ces remparts noirs garnis de fer barbelé rouillé des forteresses impénétrables du mal et de ses camps de la mort, au moment même où personne ne s'y attend plus du tout… Car c'est bien à eux que je me suis heurté violemment sans le savoir et sans le vouloir. Ô le son des chofars faisant s'effondrer, pour la conquête de la Terre Promise, les murailles de la cité de Jéricho vouée au culte des ténébreuses et sinistres déesses lunaires qui reviennent aujourd'hui dans l'ombre verser leurs poisons et leurs maléfices, assoiffées de sang ! Ô le miracle inouï de la foi, le rayon du Soleil de Justice, la chute humainement invraisemblable du mur bâti contre Dieu et entre les hommes par l'empire des ténèbres qui étend son ombre peu à peu sur toute la terre ! On peut voir les différentes scènes de la prise de Jéricho sur le chapiteau de la salle capitulaire de l'abbaye Saint-Georges de Boscherville…

*

Sur la route menant à Fécamp, j'avais ainsi voulu faire une halte à Rouen dont j'avais envie de découvrir le centre-ville ancien. On m'avait parlé de plusieurs lieux intéressants à voir. C'est notamment le cas de mon négociateur en livres anciens qui m'avait dit que je trouverai, si j'étais perspicace, de nombreuses réponses face au « portail des libraires » de Notre-Dame de Rouen. Ce portail Nord des initiés est discrètement surveillé par un lion gardien du seuil et surmonté de saint Michel terrassant le dragon. Sur un des quadrilobes de la façade, à gauche au milieu et en haut, on peut remarquer un moine assis devant son pupitre au livre ouvert (imagine-t-on le mythique « Livre d'Abraham le Juif »…), tenant une mystérieuse fiole. Mon interlocuteur livresque l'avait dénommée « fiole de sainte Walburge au livre ouvert ».

Lui qui m'avait offert un jeton en argent daté de 1711, avec la devise « *Vincula solvens dulce onus* », de la « *confrairie de St Romain* », représentant le saint évêque de Rouen, qui aurait vécu sous Dagobert Ier, en train de bénir un fidèle, avec un dragon (appelé aussi la gargouille) de l'autre côté. Je le garde depuis toujours dans ma poche, comme un porte-bonheur en quelque sorte.

Ce qui a retenu mon attention aussi c'est, à l'intérieur, le tombeau des cardinaux d'Amboise, où l'on voit les vertus représentées (notamment la Tempérance avec son horloge et la Force avec sa tour). De chaque côté de ces vertus se trouvent sept « pleurants », personnages encapuchonnés tenant à chaque fois un livre. Le deuxième a les bras croisés en X et c'est le seul à tenir un livre fermé. Mon interlocuteur l'avait dénommé « le maître du secret ».

Mais, au lieu de faire au plus court, j'ai en fait contourné la ville par le Sud pour finalement arriver par Canteleu ; après avoir traversé deux fois la Seine et, derrière le passage de Sahurs et de son bac, l'antique Forêt templière de Roumare, terre des loups et de Gargantua où je me suis quelque peu perdu. Les Templiers possédaient ainsi une importante « commanderie de Sainte-Vaubourg » au Val-de-la-Haye, en lisière Sud de la forêt.

J'ai pu visiter le hameau du Genetay, en lisière de la forêt plus au Nord cette fois-ci, avec le Manoir de l'Aumônerie et la chapelle Saint-Gorgon qui date du début du seizième siècle. On y trouve à l'intérieur, dans les registres latéraux au-dessus des sablières, des fresques du début du dix-septième siècle représentant vingt-quatre petits personnages : les douze apôtres et les douze sibylles...

Je me suis rendu ensuite à l'abbaye Saint-Georges de Boscherville où j'ai pu examiner les extraordinaires sculptures des chapiteaux historiés, d'époque romane, notamment ceux de la salle capitulaire et du cloître. J'ai été enfin au « mégalithe de Roumare » (entre Saint-Georges-de-Boscherville et Canteleu) et à la borne royale à Montigny, à quelque distance du « Chêne à Leu ».

*

A Saint-Martin-de-Boscherville, je fus soudainement abordé par une superbe femme, élégante et raffinée, mais à l'air effronté, bouleversante, déchaînée, visiblement parée pour séduire les hommes - comme si elle se rendait à une réception mondaine, une fête somptueuse, un gala parisien. Alors que je passais simplement dans la rue, près de l'angle où elle se tenait comme en embuscade. J'aurais pu la prendre pour une prostituée attendant son futur client mais ce n'était pas le cas. Elle se jeta alors sur moi, tombant littéralement dans mes bras, me couvrant de baisers langoureux et de délicates caresses comme si elle retrouvait enfin son mari parti pendant de longs mois, m'inondant de mots doux et affectueux, d'invitations amoureuses murmurées à voix basse au creux de mon oreille. J'étais sur le point de me laisser entraîner dans les flots de ses propos subtils et délicieux, de me perdre dans ce déluge impromptu de douceur et de volupté.

- J'espère ne pas t'avoir fait peur, t'abordant ainsi à l'improviste, sans retenue de ma part… Je ne pouvais plus rester à la maison à me morfondre dans ma frustration, prisonnière devenant folle dans le bruit et le désordre, tourbillonnant sur moi-même, prête à tout casser, à tout renverser, à mettre le feu. J'en avais assez d'être cantonnée au simple rôle de femme au foyer, de fidèle épouse soumise… Ne tenant pas en place avec mes pieds rapides et légers, telle un oiseau retenu en cage, volant rapidement dans tous les sens, j'avais besoin de sortir dans le village, d'aller à l'extérieur, de partir à la chasse dehors… Et pourquoi pas de tomber sur un beau jeune homme comme toi qui me fasse oublier, l'instant d'une nuit d'amour bénie, mon malheur et ma solitude. J'étais si excitée et agitée, toute brûlante de mes désirs inassouvis, allant à droite à gauche dans la rue et sur les places. A chaque coin je me mettais aux aguets, épiant, surveillant le petit village désert afin de trouver une proie charnelle et une victime consentante pour ma satisfaction personnelle, pour mon repas du soir. Dès que je t'ai aperçu - ma jeune tentation, mon tendre ami - mon cœur débordant d'amour à donner battit la chamade, je me mis à chanceler, le souffle court, la tête pleine d'idées sensuelles et honteuses, le regard fixe comme hypnotisé par ton apparition miraculeuse. J'ai fait tellement de prières à l'Éternel et à tous les saints du Paradis, offert tellement de sacrifices d'action de grâce, noué tellement de vœux secrets pour que tu viennes enfin à ma rencontre, ici à la lisière de la forêt où tu t'es perdu. Ô mon juvénile Benjamin, je suis sortie du confort de ma maison conjugale, je suis allée au-devant de ta personne, à ta rencontre bienheureuse, voulant me tenir face à face avec toi et te voilà ! Je t'ai tant cherché dans l'inquiétude et la souffrance et je t'ai enfin trouvé ! Tu sais, je t'ai attendu depuis tellement de temps que je ne vais pas te lâcher si facilement et de si tôt : tu es à moi, tu m'appartiens jusqu'à l'aube. Ce soir où tout est possible, où tout n'est que grâce, tu ne peux pas raisonnablement te refuser à moi.

- Madame, vous m'avez troublé et perturbé… Même si vous m'avez appelé par mon second prénom, cela doit être un pur hasard, vous devez me confondre avec un autre : nous ne nous connaissons pas et je ne fais que passer ici, au gré de mes pérégrinations et de mes errances, avant de rejoindre mon hôtel prévu à Rouen. Je ne suis qu'un voyageur un peu égaré, faisant ici une halte imprévue qui n'est pas le but de mon expédition… Je dois malheureusement continuer mon chemin, tracer ma route, sans réfléchir, sans états d'âme, sans sentiments. J'ai un objectif que je dois atteindre, sans que rien ni personne ne puisse l'empêcher. Et puis je ne veux pas offenser votre honneur et votre réputation, je ne souhaite pas vous manquer de respect en acceptant votre proposition inattendue, quelque peu indécente et malhonnête, qui me gêne et me met mal à l'aise. Même si je me sens tout de même flatté et séduit par vos douces attentions et vos tendres égards, presque maternels. Vous ne me laissez certes pas indifférent et je ne peux que louer l'extrême qualité de votre mystérieuse et envoûtante beauté nocturne…

- Ô mon fougueux et charmant amant, adore-moi comme ta déesse lunaire !

- Je préfère révérer les dieux immortels, c'est mon premier devoir…

- Je sais que je te suis totalement étrangère, comme un fruit interdit, comme le bien d'autrui, comme une fille de Moab, comme la tentation du crépuscule… Mais toi il me semble vraiment bien te connaître, depuis toujours. Je t'ai tout de suite reconnu malgré la pénombre. Je sais encore que tu dois me prendre pour une folle dévergondée et hystérique, voire une nymphomane maladive, une traînée dégradante… mais peu importe. Tu as dû remarquer aussi une certaine noblesse dans ma démarche et mon être profond, telle la Passante de Baudelaire. Sache que je suis princesse d'Europe de l'Est, bien qu'exilée ici… Pourquoi donc payer une chambre d'hôtel alors que je t'invite chez moi pour la nuit de feu, dans mon lit luxueusement paré de draps exotiques et d'étoffes précieuses, et agréablement aspergé de parfums capiteux ? Fille des belles et grandes vallées de Madiân, descendante de la servante Ketourah l'Égyptienne, je maîtrise toutes les subtilités de la science et de l'art de l'amour magique… Ce sera un moment unique entre nous, un jardin secret jalousement gardé. Personne n'en saura jamais rien, surtout pas mon mari si c'est ce qui te fait peur ! Parti pour un voyage lointain, il n'est pas à la maison. De plus il semble bien avoir définitivement perdu la raison… Il a emporté sa sacoche avec lui et ne rentrera qu'au jour convenu. La nuit brûlante est à nous, mon chéri ! J'ai couru dans tes bras, comme dans un havre de paix, c'est à toi maintenant de courir dans les draps de mon lit ouvert pour nos douces étreintes et nos luttes amoureuses… Aimons-nous, soyons fous ! Fêtons le retour de la saison des pluies, accouplons-nous en l'honneur de Baal et d'Astarté, pour la fertilité des champs et la fécondité des troupeaux…

- Madame, je suis vraiment au regret de devoir décliner votre proposition et invitation, pourtant si alléchante je le reconnais volontiers. Je dois quitter les lieux sur le champ et vous laisser malheureusement, certainement pour vous et peut-être pour moi aussi. Une fois seul à Rouen, je regretterai vraisemblablement ma décision, mais celle-ci est prise, définitivement, irrévocablement. Je préfère le regret de ce qui ne s'est pas fait entre nous au remords de la faute commise, qui hanterait mes jours et surtout mes nuits. Tout est beaucoup mieux ainsi pour vous et pour moi je le crois, pour notre intégrité morale et à cause de nos chemins divergents. Éventuellement en un autre moment, un autre lieu, en d'autres circonstances…

- Ils divergent peut-être ordinairement mais là ils se sont extrordinairement rencontrés au point d'intersection mystérieux, à la croisée des chemins, sur le grand plan déplié du destin. Un contact s'est noué, un point d'impact. C'est comme ça. Je lancé vers toi mes appels désespérés, comme des flèches, et tu es arrivé maintenant. Est-ce vraiment par le plus grand des hasards comme tu voudrais me le faire croire ?

Pour qui te prends-tu donc, jeune et triste écervelé, pour me résister ainsi ? Accepte ta défaite face à ma puissance et tu gagneras toute ma personne. Tu te rends compte : mon corps est tout à toi. Tu n'as rien à perdre, rien à craindre, rien à construire non plus. Si tu te montres si timide avec moi, c'est que je n'ai pas su encore te persuader pleinement de mes atouts et de mes charmes indicibles. Laisse-moi te convaincre avec mes arguments, te séduire pleinement à ma vue. Je saurai faire tomber toutes les murailles de tes appréhensions, déjouer tous tes derniers scrupules, détourner tes hontes inavouées. Je suis plus rusée que toi, mon pauvre petit prétentieux, espèce d'enfant mal élevé. Je suis une femme, et pas n'importe quelle femme ! Tu as peur d'être tombé dans un piège, dans les filets de ma terrible convoitise ? J'ai même l'impression que tu crois être un bœuf que l'on mène à l'abattoir... Que va-t-il bien pouvoir t'arriver ici dans mes bras ? Que de la félicité bienheureuse, de la pure joie ! Tu n'as rien à redouter de ma belle et douce personne : je vais faire de toi un voyageur comblé et ravi. Tu seras enfin heureux. Et c'est toi qui me supplieras alors de rester plus longtemps à mes côtés, dans mes bras, sur mon sein, d'accepter que tu puisses revenir souvent me visiter. Viens donc ! Enivrons-nous d'amour magique jusqu'au petit matin, épuisons les délices des caresses et des enlacements, jusqu'à en être pleinement rassasiés. Qu'il ne reste plus que des cendres au lever du jour !

- Adieu Madame ! Et encore avec toutes mes sincères excuses de devoir ainsi vous abandonner à votre triste sort…

- Appelle-moi Irma, ou Alexandra si tu veux, nous sommes désormais si intimes : un lien éternel s'est tissé entre nous quoi que tu dises… Ne t'inquiète pas pour moi, mon sort n'est pas si triste que cela, même jalousé par beaucoup, et mon mari très riche et puissant. Je n'ai rien à envier aux fastes de la Païva… Contrairement à ton pauvre destin bien sombre, plein de malheurs et de naufrages, d'abîmes en abîmes, que j'aurais pu illuminer de ma splendeur éblouissante. Et puis, si tu choisis la guerre entre nos deux personnes… Tant pis pour toi, si tu ne veux pas de mon fol amour désespéré, si tu ne veux pas de mon cœur tu auras ma rancœur justifiée, ma haine destructrice, tu subiras ma vengeance implacable, mon arrêt de mort. Va donc et ne reviens plus jamais dans mes parages, sale insolent ! Tes jours sont désormais comptés. Sois maudit à jamais ! Mes paroles d'exécration sont lancées et tu dois les craindre dans l'épouvante… Mon mari est le « roi des épouvantements », au sommet du Péor, en regard du désert.

Je partis alors d'un air fier et d'un pas décidé, mais tout tremblant intérieurement des paroles, ayant soufflé le chaud et le froid dans mon esprit et dans mon âme, de cette maudite inconnue aux allures de Cassandre, prophétesse de malheur m'intimant de renier ma foi, de ne plus être fidèle aux promesses de mon baptême. Il était temps pour moi de quitter cette forêt gaste.

« Lancelot se mit en marche au jugé à travers la forêt, sans suivre ni voie ni sentier, car l'obscurité sous les ramures était maintenant complète. Combien de temps a duré cette marche hasardeuse ? Lancelot l'ignore. Mais nul rayon de lune, nul scintillement d'étoile, nulle pâleur d'aube n'a traversé l'épaisseur de la futaie formidable. »

*

Ma chandelle est morte, je n'ai plus de feu.

Mais là aujourd'hui, j'ai voulu jouer et j'ai perdu. Je suis échec et mat (comme Perceval sur l'échiquier magique…). Et de plus je suis mauvais perdant, furieux et ridicule, car en réalité j'ai joué contre moi-même et nous sommes tous à nous-mêmes notre pire ennemi… C'est la désolante leçon que j'ai apprise de cette aventure. C'est moi-même que je fuyais dans ma fuite car je n'étais pas prêt, je n'avais pas encore fermé au monde, à la chair et au Diable la porte intérieure de mon cœur en l'ouvrant au Roi du Royaume divin au plus profond de moi et au-dessus de moi-même. Cette invraisemblable débandade, ce coup pour rien, ce coup d'épée dans l'eau, fut sûrement le plus bel acte manqué de toute mon existence : je me suis carapaté comme un lapin qui court se terrer dans son trou sans demander son reste. J'ai laissé passer la chance de ma vie, filer entre mes doigts la richesse et la gloire, la réussite flamboyante, laissant en quelque sorte la proie pour les ténèbres et l'ombre de la mort.

Quand je prends en compte l'incroyable ensemble d'oppositions et de trahisons en tous genres, de résistances armées ou d'attaques perfides, de pièges tendus dans l'ombre, d'embûches terribles semées sur ma route, de bâtons dans les roues, de cailloux dans les chaussures et de coups de poignard dans le dos, je me dis qu'il n'y a là aucun hasard mais que ce front commun des ténèbres obéit en fait à une intelligence supérieure qui a pour but de me faire tomber, de me faire taire à jamais, d'empêcher que la lumière dont je suis le dépositaire malgré moi ne luise au grand jour. C'est leur cérémonie occulte d'extinction des clartés et de mise sous le boisseau, pour étouffer à tout prix la vérité, détruire toute tradition authentique et transmission de la clarté spirituelle.

Mais toutes ces tribulations que je souffre avec patience, ces haines irrationnelles et ces persécutions acharnées, ne font que me conforter dans le sens même de ma mission secrète et invisible, de ma fonction de « Passeur » et de « Diplomate », et sont à mes yeux les preuves mêmes que le mensonge donne à la vérité, la haine à l'amour, le monde corrompu au Ciel pur et parfait. Toutes ces tempêtes violentes, ces ouragans de rage, ces orages déchaînés non seulement ne me font pas peur et ne me déstabilisent pas mais ne me font même pas vaciller. Ils m'obligent plus encore à suivre, dans la rectitude la plus exacte et précise, dans la droiture et la perfection, droit désir et bon vouloir, le tracé plus que lumineux qui est la voie étroite et secrète que j'ai choisie et qui m'a choisi aussi. Car je ne fais jamais que répondre à un appel personnel supérieur, une invitation aux noces du Royaume, une voix intime, amoureuse et mystérieuse : douce et chaude, forte comme le déchaînement des grandes eaux d'en haut et l'épée de la chevalerie célestielle, paisible et vivante comme la respiration cosmique et intérieure du mouvement perpétuel des vagues maritimes, comme la brise légère et rafraîchissante, le son de silence subtil, le simple souffle du Dieu Vivant, la circulation des échanges au sein de la Trinité.

En attendant, je continue d'aller d'échec en échec, passant d'abîme en abîme… La fête est finie et la messe est dite. Moi qui avais l'habitude de faire les quatre cents coups au milieu d'un cercle d'amis et de rigoler de tout et de rien dans l'insouciance de la jeunesse estudiantine du quartier latin de Paris, je me suis perdu et j'ai erré seul toute la fin de journée sur les petits chemins des falaises, sur la lieue de la sente du Calvaire, comme une âme en peine, comme un triste cœur de pierre en déroute qui roule dans les voies de basses-fosses ne menant nulle part, avec l'impression de tourner en rond, de descendre peu à peu aux enfers du doute et de l'ennui. Les bals masqués et les fêtes galantes semblent se transformer en chemin de croix pour moi. Ce passage périlleux est comme un « col » où l'on descend la « pente »…

*

En quittant ton pays, détourne les yeux de la frontière.

Je suis plus que jamais à la recherche du « Pays des Grandes Merveilles », en cette limite hautement symbolique de la « Marche de Gaule et de petite Bretagne ». Cette frontière merveilleuse se trouve ainsi aux confins du Maine, de la Bretagne et de la

Normandie, sur une mystérieuse ligne de front entre l'espace et le temps où tout se joue depuis des siècles. Forêt templière de Rennes, Ernée et Vautorte, et la rivière de la Varenne. Après Ernée arrive la séparation en deux parts du comté du Maine et du duché de Bretagne, et dans sa lande se trouve un orme (tel celui de Gisors…).

Pour l'instant, dire que je suis allé à mon rendez-vous pour des prunes, pour me faire poser un stupide et rageant lapin, faisant le voyage de la région parisienne à Fécamp exprès pour venir, tel le bibliothécaire d'Alexandrie Callimaque de Cyrène, cataloguer et expertiser cette bibliothèque de livres anciens et d'archives manuscrites autour des sciences naturelles et positives mais aussi et surtout occultes. On y trouve encore des ouvrages de philosophie antique, d'enseignements hermétiques, de sociétés secrètes et de mystique juive et chrétienne. Il paraît que la découverte d'un livre ancien inédit et fondateur peut parfois changer le cours de l'Histoire, la face du monde…

Une telle bibliothèque - me faisant penser à celle célèbre de l'abbaye d'Orval - est-elle l'image du Paradis ou de l'Enfer ? Je ne saurais ici répondre tant il est vrai que, dans ce bas monde, qui a le savoir a le pouvoir… Celle-ci ressemble aussi étrangement à la

« bibliothèque inconnue » qu'évoque Villiers de l'Isle-Adam dans *Isis* :

« cette étrange bibliothèque était un trésor de livres rares et curieux, de manuscrits extraordinaires et de documents inconnus ».

Tout semble s'y retrouver jusqu'à la « grande case d'ébène à serrure d'or et à ressorts secrets », où se trouvent cachés de bien étranges documents aux révélations explosives... Certains de ces manuscrits, souvent en latin, semblent parfois avoir été cryptés il y a fort longtemps dans un scriptorium monastique ; et quelques-uns de manière à devoir être lus en suivant la progression du cheval ou bien encore de la tour ou du fou sur l'échiquier. Cela me fait aussi penser au « coffret en bois des îles tout orné de ferrures » que légua Théophraste Longuet... Je me rappelle ici cette mise en garde qu'il est « absolument dangereux, pour sa santé intellectuelle et physique, d'aborder le secret de la vie de Théophraste ». On ne saurait mieux dire quant à ce qui nous occupe ici dans notre histoire où souffle le vent du Nord de Borée. Il s'agit bien en effet, maintenant pour moi, du secret de la vie d'un homme mystérieux, du secret de sa mort aussi...

On trouve encore, au chapitre trois d'*Isis*, ce conseil volontariste que je me suis approprié depuis :

« N'hésitez jamais ; agissez toujours devant l'occasion ; faites n'importe quoi, mais faites quelque chose : tous les événements s'entre-valent, à peu près, pour celui qui en sait trouver le joint et en extraire la valeur réelle : c'est-à-dire, pour celui qui sait découvrir le plus grand nombre de rapports possibles de tel événement avec le but absolu de son existence : les natures à tâtonnements n'arrivent à rien de solide ; agissez donc toujours devant l'occasion en déployant sur elle toutes les ressources de votre présence d'esprit. »

Le livre de Villiers (avec sa couverture un peu leste…) se trouve actuellement sur ma table de nuit à Yport, à côté de l'*Essai historique et littéraire sur l'abbaye de Fécamp* de Le Roux de Lincy ainsi que de l'*Histoire de l'abbaye de Fécamp et de ses abbés* par Gourdon de Genouillac et d'une petite plaquette imprimée sur place et intitulée *Histoire du Précieux-Sang de N. S. Jésus-Christ conservé à l'Abbaye de la Ste-Trinité à Fécamp*, dans laquelle est glissée une feuille des *Litanies du Précieux Sang* que je récite tous les jours. J'ai mis de côté aussi, caché dans le tiroir, un curieux roman d'espionnage que je viens d'acheter et que je vais m'empresser de lire : *Les sept têtes du Dragon Vert* de Teddy Legrand.

*

Marchons Joli Cœur, la lune est levée !

Les circonstances mêmes dans lesquelles j'avais été contacté pour organiser cette vente étaient fort mystérieuses, le vendeur voulant pour l'instant garder l'anonymat le plus strict et passer par un intermédiaire, sorte d'ambassadeur aux relations extérieures. Ce dernier - qu'on aurait pu prendre pour un agent secret - s'était d'abord présenté à moi, dans ma librairie de Pontoise « à sept lieues de Paris », sous le nom d'emprunt de « Maître Pierre du Fourey, roi de la basoche du Palais », selon ses termes. Il avait beaucoup insisté sur la *discrétion absolue* que je devais impérativement respecter, sous faute d'immédiatement et irrémédiablement me voir retirer l'affaire. Affaire pour laquelle je prenais peu à peu conscience que certains (et pas seulement marchands et collectionneurs dont les passions cupides et terribles ne demandent qu'à se déchaîner…) étaient prêts à tout pour qu'elle tombe entre leurs mains coupables, à tout *même jusqu'à voler et à tuer.* Ils étaient capables de vendre leur droit d'aînesse pour un plat de lentilles… Pourquoi donc cette simple transaction intéresse-t-elle au plus haut niveau certaines organisations criminelles, économiques et politiques, certaines puissances occultes capables de faire et de défaire jusqu'à des grandes entreprises industrielles et des États, et cela en un claquement de doigts ? Peut-être parce qu'elle n'est pas si simple qu'elle en paraît, qu'elle comporte de nombreuses ramifications et remonte à plus loin, à beaucoup plus loin encore, jusqu'à la nuit des temps, provenant d'un lieu inconcevable, lointain mais pourtant proche et totalement ignoré... Et les forces en jeu sont extraordinaires et considérables, inconnues au commun des mortels, impensables à monsieur tout le monde. Si j'avais su où je mettais les pieds en acceptant, comme un fou ou un idiot, cette haute mission périlleuse et glorieuse, je crois que jamais je n'aurais dit oui. Mais maintenant, il est trop tard : je ne peux plus revenir en arrière sur mes pas. Ma seule survie réside dans le fait d'aller de l'avant sans réfléchir et sans me retourner, en espérant que ce ne soit pas directement dans le mur, que je ne me heurte pas contre la pierre d'achoppement. Il est impératif que j'aille jusqu'au bout, au terme de cette aventure invraisemblable. Sinon, tout cela n'aura servi à rien : tous ces efforts, toutes ces remises en question, toutes ces épreuves, tous ces travaux, toutes ces souffrances de la forêt périlleuse, de la tempête où l'on se noie et de l'obscurité où l'on se perd. *Achèves ta vie : n'en dépose point le fardeau, à la première fatigue.*

J'avais rencontré, une seconde fois, ce véritable personnage de théâtre ou de roman - à la fois austère et extravagant, fort humblement discret et flamboyant, durement sévère et d'une extrême douceur et bienveillance - dans un immense salon à moitié vide d'une maison parisienne de la très chic Villa Montmorency du seizième arrondissement. Je connais un peu cette dernière pour y avoir vécu moi-même non loin, Villa Molitor... Pour quelqu'un qui a fait vœu de silence quasiment comme ermite, il était curieusement bavard, trahissant par là peut-être sa profession. En tout cas, il semblait particulièrement apprécier pouvoir me transmettre certaines de ses immenses connaissances réservées, comme un puits de science sans fond et une fontaine de vie et de sagesse. Après m'avoir fait prêter serment sur l'incipit de l'*Évangile selon Saint Jean* et m'avoir fait réciter le *Veni Creator*, nous avons brièvement parlé des modalités pratiques de cette *opération secrète*, toute entourée d'interventions célestes et d'embûches démoniaques, de tracés labyrinthiques et de fil d'Ariane, de trésors fabuleux à découvrir, de masques et bergamasques de carnaval vénitien, de grandes tapisseries, de portraits peints et de statues énigmatiques dans des demeures mystérieuses, du Sphinx, de Méduse, de salamandres, de harpies (aux ailes déployées et aux pattes armées de

47

griffes comme sur le chapiteau d'une petite église parisienne qui me tient à cœur…), de sirènes et de chimères, de lions à senestre et de licornes à dextre (images parlantes du soufre et du mercure alchimiques), voire même du Saint-Graal.

Je garde encore avec moi de cette bibliothèque rare et précieuse, pour les étudier et les estimer, un très curieux manuscrit en vieux français orné de dessins symboliques ainsi que deux volumes vénitiens du seizième siècle en latin, aux planches coloriées à la main et anciennement et abondamment annotés par un personnage prestigieux à la tête d'un empire. Les trois ouvrages portent la même riche reliure ancienne en maroquin vert, aux armes d'une illustre famille noble qui a été jadis très puissante en Bretagne, en Normandie et en région parisienne. Je les avais pris en dépôt et les conserve aujourd'hui en un lieu secret, en quelque sorte provisoirement comme un trophée de guerre, comme un trésor ayant échappé aux pirates et aux naufrages. En tout cas, je ne veux finalement ni acheter ni vendre ces « objets » hors de prix et hors marché, en provenance du *fonds mystérieux*, de la source cachée.

*

Je ne devrais pas vous le dire mais il se trouve que je suis l'héritier des secrets du frère Nicolas, ce « noble et discret » moine très savant et sorte de Pythagore chrétien. Il vécut au moment de la Révolution à l'abbaye de Fécamp dont il était trésorier. Retenez au passage que le vingt-troisième abbé fut Estod d'Estouteville de 1390 à 1423. Allez donc voir la magnifique Dormition et Assomption de la Vierge, dans le transept Sud de l'abbatiale. Par ailleurs, savez-vous encore que nombre des moines de l'abbaye étaient curieusement francs-maçons sous l'Ancien Régime ?

Celle-ci possédait aussi anciennement en ses murs une « confrérie de Saint-Martin des frères jongleurs » instituée au onzième siècle par le premier abbé saint Guillaume de Dijon, mort et inhumé à Fécamp : la chapelle du Sacré-Cœur abrite aujourd'hui le mausolée de ce premier abbé ainsi que du dernier moine de l'abbaye, dom Louis-Ambroise Blandin. Cette école de ménestrandie véhiculait un profond enseignement qui perdure aujourd'hui encore dans ma famille où beaucoup de nous sommes musiciens. Vous rencontrerez peut-être un jour ma nièce qui est pianiste… En attendant vous pourrez aller voir des étonnants chapiteaux de l'ancien cloître de l'abbaye Saint-Georges de Boscherville : conservés aujourd'hui au Musée des Antiquités à Rouen, on y trouve représentés dix musiciens, richement vêtus, accompagnant une jongleresse qui se tient debout sur la tête !

Tenez, je vais vous raconter une petite histoire. Le quatorzième abbé de Fécamp (de 1326 à 1329), Pierre Roger, né à Rosiers d'Égletons dans le diocèse de Tulle en Corrèze, fut pape en Avignon au quatorzième siècle sous le nom de Clément VI, un souverain pontife plein de fastes et de prestige avec comme devise « De rosa Attrebatensi » (« De la rose d'Arras »). Il portait six roses rouges dans son blason qui venait de sa ville d'origine.

Parti de Paris pour se rendre dans son abbaye de La-Chaise-Dieu, il fut assailli, volé, mis à nu et blessé au crâne par des brigands dans les Bois Noirs de Randan dans le Puy-de-Dôme (« ici commence l'Auvergne, ici finit la France »). Là, il fut recueilli par le prieur bénédictin de Thuret qui lui prophétisa qu'il sera pape. Le lieu ne fut pas choisi au hasard, avec sa très hermétique église romane Saint-Martin, haut-lieu d'énergie spirituelle.

Les brigands en question, quant à eux, faisaient partie d'une secte satanique où ils s'appelaient entre eux « les loups » et qui ne sera pas sans rapport avec les attaques mystérieuses, plus tard au dix-huitième siècle, de la fameuse « bête du Gévaudan » qui sévit surtout en Lozère, fruit d'un complot et de sordides manipulations. Cette fraternité vouée au Mauvais avait aussi fait parler d'elle au dix-septième siècle, cette fois-ci en Bretagne dans les Monts d'Arrée. Et le Tad Mad Julien Maunoir, que l'on a pu prendre pour un fou fanatique, avait dénoncé et combattu les agissements de ce qu'il appelait « l'Iniquité de la Montagne ». Les mêmes sortilèges infâmes ont été conjurés et entourés aussi au Mont Margantin en Basse-

Normandie, près de Domfront où l'on trouve la formidable église Notre-Dame-sous-l'Eau à côté d'un célèbre gué de la Varenne.

Mais ne vous trompez pas, il y a loup et loup. C'est là qu'il faut faire preuve de subtilité. Vous savez, le propre des symboles est de pouvoir comporter une face bénéfique et une autre maléfique, comme les deux côtés qu'il ne faut pas confondre d'une même médaille, les deux pages recto et verso d'une même feuille de parchemin. Mais la lumière et les ténèbres ne peuvent pas cohabiter sous un même toit ou dans un même cœur. Et il y a actuellement la mise en place à grande échelle d'une prodigieuse manipulation d'inversion du sens des symboles traditionnels, notamment celui de la croix. Ainsi de nos jours arrivent des loups sinistres et terrifiants de la croix usurpée. Ce ne sont que des menteurs éhontés et des savants falsificateurs.

Moi-même, très humblement et très véritablement, je suis la dernière pierre occulte, le dernier roi de la Confrérie de Saint Jean ou du Loup Vert (« au feu le loup ! »), détenteur des secrets opératifs de sainte Austreberthe et de sainte Ménehould, des anciens tailleurs de pierre et des anciens tisserands ou liciers de Bretagne et de Normandie : de Lizio avec son culte à saint Lubin à Tordouet avec son clocher octogonal. Ceux-ci accomplissent le miracle, dans leur métier à tisser, du croisement des fils tendus verticaux de la chaîne et de ceux horizontaux de la trame. Allez donc voir aussi les tentures de l'Apocalypse et celles de la Dame à la Licorne, elles sont si magnifiques et recèlent, pour qui sait les voir et les comprendre, de profonds et rares enseignements !

Chevalier aussi de Monseigneur Saint-Sébastien et Frère de Charité, je connais par cœur et tiens le serment du noble jeu de l'arc et vais en pèlerinage à Saint-Sébastien-de-Préaux et à Soissons.

Pierre le Joli Cœur (c'est mon nom de compagnonnage), je possède la plume d'oie et le feu secret et si vous frappez à ma porte je vous ouvrirai bien volontiers. Je vais vous apprendre la véritable signification symbolique des comptines et des contes pour enfants, car il faut avant tout redevenir comme des petits enfants. Vous savez, je ne suis en fin de compte qu'un raconteur d'histoires anciennes et de vieilles légendes populaires, comme une transmission orale qui perdure sur son navire malgré les tempêtes du monde et les ravages du temps. Je me tiens sous le figuier auguste et sacré, le très vénérable arbre à palabres. Comme j'ai fait vœu de silence (même si je sais fort bien manier l'éloquence dans l'exercice de mes fonctions, à savoir dans mes longues plaidoiries...), il ne faut pas y voir de vains bavardages mais récit authentique de ce qui ne peut être dit autrement. Ne croyez pas que la sagesse ne peut que s'enseigner sous des airs compassés, abattus, sérieux et austères. Laissez cela aux cuistres, aux tristes sires et aux ânes savants et bâtés qui ne savent pas vivre et aimer, aux mauvais Chrétiens. Je suis la mémoire des terres ancestrales de l'Ouest.

Nous autres, loups-bergers normands, loups de lumière ou lubins, ultimes charbonniers secrets des forêts du grand Massif armoricain, nous veillons sur Rome. Notre foi bien que simple n'en est pas moins profonde et authentique. Bien au contraire.

Je suis aussi, en passant, l'héritier du petit groupe des trois alchimistes de Flers, ressemblant étrangement aux trois personnages qui apparaissent dans Isis *de Villiers de L'Isle-Adam. Savez-vous peut-être qu'il existe, dans la région du Pays d'Auge, une chapelle aux murs ornés de peintures représentant les phases du Grand Œuvre ? D'ailleurs, c'est à Lisieux que se trouvait une étrange demeure philosophale du seizième siècle appelée le Manoir de la Salamandre. C'est encore de Lisieux qu'est originaire la famille de ce Nicolas Le Valois qui est l'un de mes maîtres secrets... Lisieux, l'antique et mystique Lexovie dédiée au dieu Lug gaulois et qui avait son pendant en Bretagne, au Yaudet... Roi de Lexovie, je demeure en secret.*

Veilleur dans la nuit, guetteur de l'aube perché sur la plus haute tour d'ivoire du château que nul ne voit ni ne connaît plus, je fais partie des derniers gardiens du Précieux Sang et de la Rose mystique. Vous savez que la légende raconte que le Précieux Sang de Fécamp (le « champ du figuier » selon une étymologie populaire tardive) est arrivé par la mer dans un tronc de figuier ? Curieusement, on dit aussi que les fondateurs de Rome, Remus et Romulus, ont été découverts sous un figuier sauvage par une louve qui les éleva. Par ailleurs, je vous signale que l'histoire de la vision du cerf blanc, que l'on mentionne aussi dans les romans du Graal, dans l'emblème de Charles VI (cerf blanc ailé avec comme devise « Jamais », lié à une apparition de jeunesse en forêt de Compiègne) et dans le récit de l'origine de l'abbaye, se retrouve curieusement dans la vie de saint Félix de Valois, à Cerfroid dans l'Aisne, à l'origine de l'Ordre de la Sainte-Trinité et du rachat des captifs.

Le figuier de la vigne est un symbole du destin du Peuple Élu : d'Israël et de son Temple. Mais faute de porter ses fruits doux et excellents, il ne remplit souvent plus sa mission divine sur terre et se transforme en son contraire, l'arbre du bien et du mal au fruit défendu, sous lequel a été décapité saint Jean-Baptiste et s'est pendu Judas le traître. Ce n'est pas par hasard que l'on trouve anciennement représentées des feuilles de figuier pour couvrir la nudité d'Adam et d'Ève chassés du paradis.

Par ailleurs, la parabole évangélique de la malédiction du figuier stérile précède l'épisode où le doux Jésus chasse à coups de fouet les marchands du Temple, ces Phéniciens et Cananéens. J'aurais beaucoup à vous dire sur l'identité hier et aujourd'hui de ces imposteurs et usurpateurs qui détournent le sens de la vraie religion à leur intérêt. Ils sont comme des loups dans la bergerie. Cette malédiction du dessèchement est vraiment terrible, quand l'Esprit verdoyant se retire et laisse derrière lui un cadavre livré en pâture aux redoutables nécromanciens, en quête de visions et de pouvoirs extraordinaires.

Méfiez-vous vraiment et soyez sur vos gardes, veillez et priez sans cesse, car vous verrez peut-être bientôt le retour des hordes sauvages d'Orient, des meutes enragées sans foi ni loi, pillant, violant, tuant, brûlant et détruisant tout sur leur passage comme les terribles et sanguinaires envahisseurs romains : tempête, feu, sang. Méfiez-vous des fausses apparitions et des prophéties du démon annonçant le Grand Monarque, aussi attrayantes soient-elles, pour justifier la montée en puissance de la croix noire et de l'étoile rouge. Jusqu'à l'incendie de la tanière maudite - avant la nuit de Walpurgis à la flamme d'or - et la chute du mur séparateur.

Dans les épreuves de votre quête, il vous faudra connaître trois mots de passe secrets qui auront leur utilité au moment venu et au lieu concerné, il s'agit de : « Ergenekon », « Ragnarök », « Wolfsschanze ». Ce sont trois clés pour vous ouvrir, un instant, les portes interdites des maîtres secrets de la forge maniant le fer maléfique et le feu des enfers.

Les Loups Gris dans la nuit de l'Ordre Noir ont oublié, coupant les racines de l'arbre, que le loup est aussi solaire, rayonnant de la lumière même du soleil invaincu. Ils veulent nous voler le Saint Graal en dressant leurs faux drapeaux de croisés ornés de leur croix griffue, au double Z. Leur Graal n'est que la coupe d'or remplie des abominations et des impuretés de la Grande Prostituée. Oui, les loups de la destruction, ces terribles forgerons noirs, sont en train de sortir de la Forêt de Fer où ils se cachaient : l'âge du loup est l'âge de fer,

55

plongeant le monde dans le froid nocturne de l'hiver sans amour et du Nord du Prince des terreurs, du « Grand Roy d'Effrayeur ».

Il est souvent question ici et là du retour miraculeux du roi perdu : n'écoutez pas le chant trompeur de ces sirènes. En France, le vrai roi, invisible, est Jésus-Christ lui-même, dont le roi physique n'était que le lieutenant visible. Tous les prétendants qui se présentent depuis 1793 ne sont que des usurpateurs et des menteurs, ne les croyez pas et ne les écoutez même pas. Ce sont de faux prophètes. Il faut leur résister comme le fit la sage Pénélope.

Au centre le plus secret et le plus terrifiant de cette Forêt où se dissimulent les terribles et impurs Loups Gris, se trouve un immense Marais insalubre et infesté de dangers de toutes sortes. Cela, me fait penser aux Bayous de la Louisiane, à certaines régions de la Hongrie ou encore aux marais du Cotentin et du Berry où se cachent toujours aujourd'hui de puissantes sorcières. Plusieurs chefs d'état, dont un Français qui le portera jusque dans son nom de famille, puiseront leur pouvoir dans les eaux troubles et sombres de ce bourbier sans nom et sans lieu où l'on se perd et l'on se noie à tout jamais. C'est le Youdig du Yeun Elez des Bretons et sa porte des enfers au milieu du brouillard inquiétant et de la désolation déserte.

Il faut bien faire attention que ce Marais secret et central, qui n'attire pas vraiment l'attention et dont personne ne *parle trop, va se manifester visiblement et prendre progressivement des proportions gigantesques, en se répandant dans le monde entier. Oui il arrivera un jour où tout le monde pataugera allégrement et tragiquement dans les eaux dissolvantes de cette mondialisation sauvage à tout va du Grand Marché global et unique, où tout le monde boira le poison de ses enchantements maudits, où tout le monde sera esclave de sa loi de fer. Ce jour-là il n'y aura plus qu'à fuir, le plus loin et le plus vite possible. Vous-même il faudra alors aller vous cacher si vous êtes encore de ce monde. Vous exiler comme le fit Jacob, sur l'ordre de son père, auprès de Laban, l'Araméen et frère de Rébecca, afin d'échapper à la colère vengeresse de son frère et à son désir de meurtre...*

*

Depuis je n'ai plus eu aucune nouvelle de mon interlocuteur attitré (dont j'apprendrai plus tard qu'il était un riche avocat réputé du barreau de Paris, doublé par ailleurs d'un brillant mathématicien). Jusqu'à dernièrement où j'ai été contacté en urgence pour venir voir quelques-uns des ouvrages de cette imposante bibliothèque dont je ne connais pas la localisation. Ils seraient conservés provisoirement dans une vieille maison normande de la région, dont il ne m'a pas précisé l'adresse secrète et qui appartiendrait à son confrère et associé parisien Henri Rousseau. J'étais convoqué pour rencontrer mon « négociateur » à l'heure de midi, de manière singulière et assez autoritaire, devant le « saint lieu » du Tabernacle du Précieux Sang. Derrière le chœur de cette abbatiale de la Sainte-Trinité qui apparaît comme une véritable nef dans la ville, un majestueux et imposant vaisseau de pierre traversant le temps et l'espace jusqu'à nous... Il m'a simplement été dit que l'on m'ouvrira si c'est fermé, que je n'ai pas à me faire de soucis.

Pourtant *j'étais bien au bon endroit* malgré la forte tempête qui soufflait sur la région suite au ballet inquiétant des mouettes agitées, mais toutes ses portes étaient mystérieusement et irrémédiablement fermées, comme un livre hermétique au profane, de façon inhabituelle et incompréhensible. Peut-être n'ai-je pas assez montré « patte blanche »... J'ai eu beau faire le tour et essayer de toutes les pousser, rien n'y faisait. J'y ai frappé en vain et je crois bien que j'y ai perdu mon latin, ma pauvre raison et tous mes espoirs. Que faire alors ? Finalement, « fort surpris d'entendre ce langage, comme j'étais venu je m'en retournai chez moi ».

Pourquoi donc me donner un rendez-vous aussi loin et ne pas venir m'attendre, me laisser aller droit dans le mur et me cogner la tête contre une porte invraisemblablement close contrairement à la promesse évangélique ?

Dépité et dans l'interrogation, je me suis réfugié dans la petite Chapelle du Précieux-Sang qui se trouve dans une rue proche. Là, devant le grand crucifix, j'ai prié une bonne partie de l'après-midi, me remettant entièrement dans les mains du Tout-Puissant qui protège les portes d'Israël, lui offrant en silence mes doutes et mes interrogations, mes craintes et mes angoisses, mes espérances. J'ai prié d'une prière embrasée, comme je l'avais déjà fait aux Oratoires du Passais et devant les mosaïques de l'église Saint-Julien du haut Domfront ainsi que de celles de Saint-Michel-des-Andaines, où l'Archange - sur un vitrail - terrasse le dragon de sa lance à la pointe étincelante.

Depuis que j'ai quitté mon pays de la région parisienne, je crois bien m'être quelque peu perdu, sous une pluie battante, dans le bois énigmatique et hiéroglyphique d'Yport en pays de Caux : « deux chemins divergeaient dans un bois jaune… ». Ce bois, tel la mystérieuse et obscure forêt de Roumare ou d'Argonne… Sortant pour ainsi dire de ma route définie dans une rectification surnaturelle, une voie détournée, un chemin de travers (le chemin de la Guêpière ou du gué de pierre, la sente des Voyes Dieux…), prenant définitivement la *voie de droite*. Dans ces terres rares et retirées, je n'ai désormais plus de chemin et de destination déterminés, m'enfonçant indéfiniment de plus en plus dans les profondeurs inouïes et ombragées de l'inconnu, loin de toute orée lumineuse, de toute limite réconfortante, de toute civilisation humaine. Je suis désormais dans une solitude intense et absolue, livré en quelque sorte à moi-même, dans les mains mystérieuses de la Providence. Si Dieu plaît.

> *Pauvre homme tu t'abuse bien :*
> *Par ce chemin ne fera rien,*
> *Si tu ne marche d'autres pas.*
> *Mal tu uses de mes compas :*
> *Mal tu entends mon artifice.*

> [...]

> *Pour ce je serai de plus en plus*
> *Entendif, selon votre livre,*
> *De tout mon pouvoir vous ensuivre :*
> *Car c'est le chemin & la voie*
> *La plus sûre que l'homme voit :*
> *Et est tout certain que cet art*
> *Nous vient par vous : mais c'est à tard :*
> *Non sans cause : vu la noblesse,*
> *Et le trésor, & la hautesse*
> *De ce grand bien & haut oracle,*
> *Qui est en vous quasi miracle.*

II.

Comme un qui en la mer grosse d'horribles vens,
Se voit presque engloutir des grans vagues de
l'onde

Là je ne rigolais plus du tout, car j'avais appris une bien mauvaise nouvelle. Un représentant des forces de l'ordre est venu violemment frapper à la porte de ma chambre à l'hôtel *Les Sirènes* d'Yport où j'étais descendu, de bonne heure vers six heures du matin. Il m'annonça ainsi la mort violente la veille - ici-même dans la station balnéaire - d'un homme dont la description correspondait en tous points à celle de mon rendez-vous manqué de Fécamp. Mais il n'était pas autorisé pour l'instant par sa hiérarchie à m'en dire plus sur les circonstances exactes du décès. Quelle curieuse coïncidence qui expliquerait bien des choses pour moi !

J'ai appris cette nouvelle comme on prend un coup de massue, assommé et terrassé, comme ébranlé par un tremblement de terre. Oui, moi-même à terre. Quel coup de théâtre fatal auquel je ne m'attendais guère ! Quelle curieuse manière de revenir au point d'arrivée (ou de départ ?) de mon déplacement subit ! Tout est désormais remis en question pour moi et les cartes sont soudainement rebattues. La trame de ma vie et du monde devient de plus en plus épaisse et obscure, dans une confusion et un aveuglement comme si je ne savais plus lire ce qui devenait malgré moi peu à peu une intrigue policière, à la fois passionnante et terrifiante. Ma quête du Graal - ou de la Toison d'or - se transformera peut-être bien en simple enquête qui me mènera je ne sais où et certainement là où je ne veux aucunement aller.

Sa démarche était en fait de me demander de bien vouloir ne pas sortir ou partir pour l'instant, de me « mettre à leur disposition » pour plus tard (je crois bien que je vais devoir rester pour Pâques...). Cette *assignation à résidence*, pour la journée et la nuit sombre et obscure dans ma chambre bleu roi devenue momentanément ma nouvelle adresse, ressemblait à mes yeux, plutôt qu'à une prison provisoire, à une véritable cellule monastique. Là je me serai un instant retiré du monde pour réciter le rosaire (comme la pauvre bergère de Pibrac avec son chapelet dans une main et sa quenouille dans l'autre...) et la prière de protection du psaume 90, vivre de l'oraison de recueillement, silencieuse et solitaire, et résister à la *terreur nocturne* et à la *flèche qui vole le jour*. « Dans la souffrance et la méditation », pour pouvoir « contempler et comprendre ». J'espère bien que le policier n'est pas venu pour me mettre sur la tête « le bonnet rouge de Paris », le bonnet phrygien des Révolutionnaires républicains !

Je me serais bien passé de cette présence fort déplaisante, de cette confrontation contraignante. Ils veulent m'interroger sur la mort suspecte - dont le policier me dit qu'elle remonte à hier dans la journée, plus précisément vers midi - de celui qui n'était autre que Pierre-Isaac Valmont (la rivière Fécamp serait le nom d'origine de la *Rivière de Valmont*…), mon intermédiaire mandaté par une riche héritière dans mon affaire de livres anciens et de vieilles paperasses poussiéreuses. Peut-être que derrière elle se tient une puissante société secrète dont nous ne pouvons rien connaître en l'état des choses… Il se trouve que Valmont n'a pas pu être présent au rendez-vous qu'il m'avait fixé en l'abbatiale de Fécamp, en raison du destructeur *démon de midi* qui s'est apparemment acharné sur lui. Quelle est donc cette entité maléfique et ravageuse, ce fléau innommable qui est revenu sur terre pour semer terreur, souffrances et désolation ?

A midi j'étais donc à Fécamp et lui à la même heure était à Yport : il m'y a précédé mystérieusement ou alors c'est moi qui sans le savoir l'y a rejoint post-mortem, comme si mes pas avaient été mystérieusement attirés en ce lieu. C'était bien à la même heure, sous « l'ouragan de midi », mais pas au même endroit et c'était lui qui avait du retard (et même plus !) sur le rendez-vous et pas moi ! Cela m'enlève donc un certain poids de culpabilité de ne pas avoir pu le rencontrer comme prévu. J'ai moins de remords mais toujours autant de regrets. Mais vues les circonstances particulièrement atroces, je ne peux évidemment pas en être soulagé et bien sûr m'en réjouir. Enfin, déjà ce n'est pas de ma faute et je ne suis pas devenu fou. Mais j'ai tout de même besoin de réponses claires par oui ou par non pour pouvoir avancer.

A-t-il été assassiné ou victime d'un stupide accident, d'une imprudence en s'approchant trop près du bord d'une falaise, par exemple celle d'Aval, à la pointe du Chicard ? Peut-être même, contre toute raison et défiant tout logique, a-t-il cédé au *démon de la perversion* en se jetant des hauteurs, comme lors de la chute des anges, dans une ultime énergie aveugle du désespoir ? Peut-être encore s'est-il retrouvé victime d'un complot d'état aux visées nocturnes, cette conspiration des méchants ourdie secrètement, cette conjuration maléfique qui marche dans les ténèbres. Tout simplement ne serait-il qu'un pion sacrifié pour sauver le roi ou la reine au cours d'une vaste partie d'échecs, dont nous ignorons tout et qui nous dépasse totalement ? A défaut donc de saisir les tenants et aboutissants de cette trame obscure, de cette histoire déroutante dans les mystères de la Seine-Inférieure et de la Meuse, me voilà réduit et contraint, dans un long monologue intérieur, délibératif et ridicule, à me battre avec cet écheveau d'hypothèses et d'interrogations, à me perdre dans ce dédale en essayant de démêler le vrai et le faux, le pour et le contre, le oui et le non, l'être et le paraître, l'être et le néant, le caché et l'apparent. Perdu au milieu de tant de faux-fuyants, d'écrans de fumée, d'illusions flamboyantes, de miroirs magiques de sorcière déformants, de chausse-trappes et de filets de l'oiseleur, de pièges dialectiques et de mises en scène terribles. Me voilà finalement en plein brouillard… où s'avance le mystérieux et terrifiant fils de la brume, le fils de la bête.

Les deux mots les plus brefs et les plus anciens, oui et non, sont ceux qui exigent le plus de réflexion.

*

Plus tard dans la matinée, alors que j'essayais de me remettre tant bien que mal de cette révélation inouïe, le sympathique propriétaire de l'hôtel, M. Julien-Léonard Herne qui avait été étrangement coiffeur-perruquier avant de reprendre cette exploitation, m'apporta le petit-déjeuner. Il avait appris lui-même cette tragique disparition hier en fin d'après-midi mais n'en savait pas plus que moi, n'ayant pas pu sortir de ses murs. Il se proposait alors de bientôt partir dans les rues du village pour aller à la pêche aux nouvelles. Ce serait bien extraordinaire s'il n'arrivait pas à récolter des renseignements précieux, lui qui connaissait tout le monde ici.

En fin de matinée, il m'apporta surtout le journal local du jour qui avait ce titre à la une : « Meurtre d'un avocat parisien à Yport ». A l'intérieur le court article commençait ainsi : « Alors que passait la tempête, la mort a frappé au bord de la mer... ». Curieux début où le journaliste personnifie étrangement l'instant fatal, comme si était intervenu parmi les hommes l'ange de la mort qui frappe à la porte ou l'Ankou qui erre dans les lieux déserts. A droite de l'entrée de la salle capitulaire de l'abbaye Saint-Georges de Boscherville, on trouve représentée une furie hérissée, à la robe bordée de deux coutelas, qui se tranche la gorge : « *Ego Mors hominem jugulo corripio* » (« Moi, la Mort, j'égorge l'homme et je l'emporte »). Puis une femme qui nous dit son nom : « *Vita beata vocor* » (« On m'appelle la vie bienheureuse »).

Il est ainsi question de cet homme retrouvé mort sur le parvis de l'église Saint-Martin au clocher-porche doté de deux tourelles comme deux colonnes. Ce parvis, où mendiait un pauvre hère échoué ici comme après un naufrage, était devenu subitement scène de crime et pour un moment centre du monde, rocher de la fondation. Le cadavre était allongé face tournée vers la terre, les bras levés dans la *position de l'orant*, formant comme un Y. On aurait dit un prêtre au moment de son ordination par son évêque… L'avocat, mortellement touché, a dû faire quelques pas avant de s'effondrer pour toujours.

Le crime a certainement eu lieu à l'heure de midi, mais bizarrement il n'y avait alors apparemment personne sur les lieux au moment précis. A l'exception du mendiant, mais un seul témoin (et de plus aveugle !) n'a pas beaucoup de valeur : « *testis unus, testis nullus* ». C'est assez original… D'habitude l'assassin va plutôt choisir un endroit discret et préférer la pénombre à la lumière pour commettre son méfait : « car quiconque fait le mal hait la lumière, et ne vient point à la lumière, de peur que ses œuvres ne soient dévoilées ». Choisir de tuer ainsi en plein jour, sur une place au cœur du village, c'est comme une provocation ou une menace, une volonté délibérée de montrer à la clarté aveuglante du soleil (représenté sur la clé annulaire de la lanterne de l'abbaye Saint-Georges de Boscherville…) toute l'horreur et la puissance du péché ; voire un acte blasphématoire vu l'emplacement choisi.

Toujours selon le journal, Pierre-Isaac était apparemment mort en fait d'une flèche brûlante plantée dans son dos, qu'il avait reçue en plein cœur, de cette terrible *flèche volant le jour*. Cette dernière l'aurait donc atteint en un éclair (comme « Satan tombé du ciel »…) alors qu'il passait devant l'église. D'un trait silencieux qui ne fit pas grand bruit, à la différence d'un coup de feu qui aurait fait rappliquer aussitôt tout le voisinage.

Quelle ironie du sort pour celui qui était compagnon du noble Serment de Monseigneur saint Sébastien et même empereur ! Tel l'archer Héraklès effrayant bruyamment et tuant tous les terribles oiseaux carnassiers qui infestaient les bois près du lac Stymphale au Nord de l'Arcadie. Tué ainsi du trait meurtrier d'une flèche de sang en pleine première moitié du vingtième siècle, comme si on était au Moyen Âge, voilà qui n'est certes pas commun et courant ! Une mort aussi étrange et insolite que sa vie…

C'est le maire et médecin du village, le Dr Christophe Fourquaut, qui fut appelé aussitôt pour constater le décès. Originaire de Paris lui aussi et à la tête d'une famille nombreuse, il semblait bien connaître la victime.

Le reste de l'article revenait sur le peu de choses que l'on pouvait savoir de sa vie personnelle et surtout sur sa riche carrière professionnelle au sein du prestigieux « Cabinet Valmont-Rousseau-Leroux » et les nombreuses affaires qu'il a pu plaider, dont certaines étaient particulièrement d'importance, avec parfois des ramifications politiques. Le journaliste finissait son papier sur le fait qu'il s'agissait peut-être ici d'une piste à explorer pour élucider cette mort hors de l'ordinaire, puisque l'hypothèse d'un simple crime crapuleux est d'ores et déjà écartée.

*

Me voilà donc arrivé - égaré et enterré - dans cet humble et discret village de pêcheurs aux jolies maisons de briques rouges et de silex. Il semble perdu au fond d'un val tortueux entre la mer et les bois restant de l'antique forêt de Fécamp, dans le pays si poétique des Hautes Falaises, me faisant penser à la retraite vallonnée et boisée de l'abbaye d'Orval. Le village se révèle enfin en une heureuse surprise au tournant d'une petite route à travers les tranquilles pâturages et les champs. Tout le monde n'y parlait plus que de cette ténébreuse et étrange affaire, de cet « effroyable mystère », fruit de la tempête nouvelle aux « horribles vents » et aux « grandes vagues de l'onde » (« qui sème le vent récolte la tempête »). Et les paroles étaient graves, lourdes comme les galets de la plage roulés et polis par la force sauvage des flots et le temps qui vient inexorablement à bout de tout. Les murmures étaient comme le bruit du vent dans les grands peupliers… et l'on discutait beaucoup dans les rues et dans les commerces, dans le secret des maisons. La vérité finit toujours par se savoir, mais sera-t-il alors encore temps pour réagir, pour empêcher l'accession au pouvoir des fils de la perdition ? Le monde ne va-t-il pas bientôt basculer pour la deuxième fois vers sa perte dans une nouvelle guerre totale, face à l'alliance du mal rouge de celui qui a les yeux du loup et des loups de la croix usurpée ?

D'autant plus que certains s'interrogeaient sur la présence inquiétante, depuis quelques jours, d'hommes habillés en noir de la tête aux pieds, tels des corbeaux de mauvaise augure ou des vautours en troupe, et venant du *Trou d'Enfer* (« le séjour des morts ouvre sa bouche outre mesure ») ou de *La Mare aux Loups*. Ceux-ci semblaient enquêter discrètement mais de très près sur le *seuil criminel* gardé par d'affreux et terribles dragons, cette lisière des ténèbres, ce passage interdit de l'au-delà, cette orée du bois maléfique. Ces troupes d'élite à la tête de mort, ces soldats de l'ombre (« haut les mains, rendez-vous ! »), ces commandos de la terreur étaient pour le moins peu bavards ni avenants, comme des fantômes d'un temps barbare et sauvage que l'on croyait définitivement révolu. Savaient-ils eux-mêmes qu'ils étaient porteurs de cette peste qui marche dans les ténèbres ?

Pourquoi un tel retour, dans notre monde civilisé, des dieux noirs antiques, assoiffés de sang, de sacrifices humains et de débauches, qui veulent désormais régner sans partage et sans concession ? A quel « département des opérations spéciales », à quels mystérieux services secrets - de ce monde ou d'un autre monde souterrain et ténébreux - appartenaient ces entités froides et cruelles, monstres sans cœur et machines à exterminer ? Et envoyés par qui et pour quoi faire ? Et que cherchaient donc si fiévreusement ici ces funestes annonciateurs de quelque drame cosmique et état de guerre mondiale, ces faux prophètes de malheur, exécuteurs de basses œuvres, confrères de la mort et fossoyeurs de toute espérance ? Je crois bien qu'ils voulaient nous faire prendre des vessies pour des lanternes et nous plonger définitivement dans le noir…

C'étaient ces loups du soir envoyés par Ésaü pour venger l'affront, qui ne gardent rien pour le matin, ces loups du désert des steppes orientales qui ravagent et détruisent tout. C'étaient certainement ces fils modernes de Caïn, ces enfants vampiriques du Dragon antique qui sommeille dans les montagnes de fer de l'Europe centrale, chantres menteurs de la vieille race païenne germanique et du « sang pur aryen » qui ont sacrifié le chéri et bien-aimé Pierre-Isaac, en versant ainsi le sang innocent du dernier Grand-Maître des Gardiens du Précieux Sang et de la Rose Mystique.

HIC. SANGUIS. D. N. IHV. XPI. (autel du Précieux Sang).

« *Non repugnat pietati fidelium credere quod aliquid de sanguine Christi effuso, tempore Passionis, remanserit in terris* » (Faculté de théologie de Paris, 28 mai 1448).

J'espérais que ces contre-initiés du mystère d'iniquité, fils de Fenrir et de Bélial, enfants charnels d'Ésaü au pays d'Édom, n'étaient pas venus pour me voir et me proposer un marché de dupes qui n'est autre qu'un véritable pacte avec le Diable nous jouant bien des tours pendables. C'est le pacte secret des loups et des brumes, qui donne les pouvoirs et visions magiques mais promet faussement monts et merveilles… J'ai passé tant de soirées à discuter avec mon ami Xavier de H. de cette montée inexorable des forces des ténèbres, surtout depuis l'incendie du Reichstag. Il a eu beau nous mettre en garde dans ses écrits, mais il n'est guère écouté… Il vient de mourir récemment, ayant été, dit-on dans certains milieux bien informés, empoisonné en Allemagne.

Les nuages noirs s'amoncelaient dangereusement dans le ciel de sang. C'était le soir terrible qui tombait et la falaise d'Amont étendait largement son ombre sinistre sur la plage déserte. « Ainsi en fit de moi la bête inapaisée, venant à ma rencontre, et petit à petit, elle me repoussait où le soleil s'éteint », « cette bête qui m'oblige à reculer ».

On n'entendait plus « rêver les oiseaux dans les arbres » et « sangloter d'extase les jets d'eau, les grands jets d'eau svelte parmi les marbres » dans le parc, dominant le village et la mer, de la maison que l'on a pu appeler dans certains cercles très fermés l'« Auberge de la Colombe rayonnante » ou encore « de la belle Étoile » (qui n'est pas sans rapport avec celle de Cerisy…). Il s'agit d'une grande villa bourgeoise, d'un « palais aventureux », où parfois pour certaines occasions spéciales se réunissaient en secret les membres, malheureusement aujourd'hui âgés, d'une confrérie mystique d'« Amis de Dieu » voués à l'héritage du Graal transmis par Nicodème et Joseph d'Arimathie et au culte des Cinq Plaies du Christ. Cette confrérie restreinte se rassemblait discrètement chaque 21 janvier dans une petite église parisienne, en souvenir de l'exécution du roi martyr (« Je laisse mon âme à Dieu, mon créateur »), mais aussi chaque 23 décembre en commémoration de Dagobert II le Jeune, mort assassiné en forêt de Woëvre… Quel étrange parallèle établi entre le dernier Capétien et l'un des derniers Mérovingiens ! Le saut dans le temps est peut-être permis par le déplacement dans l'espace de Louis XVI, se rapprochant « dangereusement » de Stenay où résidait Dagobert II…

Le 23 décembre 679, saint Dagobert de Stenay, roi mérovingien des Francs d'Austrasie, fut ainsi assassiné au cours d'une partie de chasse en forêt de Woëvre, où il s'endormit près d'une fontaine. Sa garde s'étant éloignée sur ordre, l'un de ses proches serviteurs le tua d'un coup de poignard dans l'œil. Son escorte le retrouva cloué à un arbre. C'était à l'endroit où se trouve l'actuelle fontaine Saint-Dagobert (source d'Arphaïs) à Mouzay dans la Meuse (où l'on trouve aussi le château de Charmois), à neuf kilomètres de Stenay. Son assassin serait ensuite revenu à Stenay pour exterminer tous les membres de la famille royale.

Petit-fils du roi Dagobert Ier, le jeune roi d'Austrasie Dagobert II était menacé par le sanguinaire Ebroïn, maire du Palais du roi de Neustrie, voulant s'emparer de l'Austrasie. C'est lui qui forma contre le roi une conspiration où entrèrent plusieurs seigneurs et fit assassiner le roi dans cette embuscade.

Dagobert dut donc faire face à Ebroïn, l'ennemi extérieur de Neustrie, mais aussi à Grimoald, l'ennemi intérieur d'Austrasie. On peut ainsi parler de complot de Grimoald Ier, maire du Palais sous le règne de Sigebert III roi d'Austrasie, pour supplanter les Mérovingiens ; mettant sur le trône d'Austrasie à la mort de Dagobert Ier son propre fils adoptif, Childebert IV, à la place de Dagobert II qu'il persécuta et fit exiler en Irlande. Grimoald Ier sera finalement arrêté et emprisonné à son tour, à Paris, où il sera exécuté dans d'affreuses tortures.

Au-dessus de la porte de devant de la « Demeure » (dont le maire du village possèderait la clé, appelée « la clé de saint Pierre »…) on trouvait ce motif sculpté : une lettre G entre un compas et une équerre, avec trois étoiles, dans le même style que le fronton compagnonnique rue de l'église à Chézeaux. Une date était marquée : 1791. Mais cette « lettre G » semblait être une initiale puisqu'on trouvait inscrit en dessous en latin : *Gangulphus*. Le heurtoir en bronze de la porte représentait quant à lui une tête de loup, peut-être celui de Canteleu...

Certains habitués de la maison avaient l'usage d'évoquer le côté jardin et le côté cour à propos des deux entrées, rappelant ironiquement l'habitude des comédiens de la salle des Machines du Palais des Tuileries à Paris, avec à gauche (vu du public) le jardin des Tuileries et à droite la cour du Carrousel du Louvre. Ces dénominations de la part de la Comédie

Française remontent à la fin du dix-huitième siècle, avec comme curieux moyen mnémotechnique J.-C. pour Jésus-Christ ou pour Jardin-Cour. Shakespeare n'a-t-il pas écrit, dans *Comme il vous plaira*, que « le monde entier est un théâtre, et tous, hommes et femmes, n'en sont que les acteurs. Et notre vie durant nous jouons plusieurs rôles ».

La statue équestre de Louis XIV au cheval cabré apocalyptique, qui se trouve dans la cour Napoléon du Louvre, est le point de départ de l'axe historique de Paris, ou voie royale et impériale du Palais des Tuileries voulue par Catherine de Médicis, passant d'Est en Ouest par le Jardin des Tuileries, la Place de la Concorde, l'Avenue des Champs-Élysées, la Place de l'Étoile avec l'Arc de Triomphe, l'Avenue de la Grande Armée. Nous partons donc du Palais Louvre-Tuileries, siège historique du pouvoir politique français, en direction du château de Saint-Germain-en-Laye, siège de bien des mystères. La statue guerrière du Bernin portant l'inscription « *per ardua* » (« à travers l'adversité », la formule complète étant « *per ardua ad astra* »), sera transformée, deux ans après son arrivée en France, par François Girardon en 1687. Louis XIV apparaît désormais sous les traits de Marcus Curtius qui, sur le dos de son cheval, plongea dans le gouffre ouvert sur la place du Forum romain et menant tout droit aux enfers (à l'antipode des Champs Élysées…). Les étendards ennemis, témoins des victoires militaires du Roi Soleil, deviennent des flammes sous le ventre du cheval, signifiant ainsi que le soldat est en train de sauver Rome incendiée. Il y a là un bien étrange symbolisme de ces brasiers allumés en offrande et à la gloire des puissances occultes de la destruction dans un rituel magique et païen : de l'incendie de Londres en 1666, à celui du Palais des Tuileries le 23 mai 1871 par des communards et à celui du Reichstag berlinois dans la nuit du 27 au 28 février 1933…

Avant la Révolution, le côté jardin était donc celui du roi et le côté cour était celui de la reine, ce qui a plus de sens hermétique en rapport avec « le soleil et la lune de source mercurielle ». Le paradis élyséen.

Qu'est-ce que les Îles des bienheureux ? - Le Soleil et la Lune.

C'est des Tuileries que partira la rocambolesque fuite ou « sortie de Fersen » (qui l'accompagna dans ses débuts), dans la nuit du 20 au 21 juin 1791, du couple royal qui sera finalement arrêté à Varennes-en-Argonne (Varennes : « va à Rennes » ?). Le plan de la fuite - vers l'Est, vers le soleil levant - consistait à rallier discrètement le bastion royaliste de Montmédy, pour y rejoindre le marquis de Bouillé, général en chef des troupes de la Meuse, Sarre et Moselle, coorganisateur de l'évasion. Et c'est aux Tuileries encore qu'aura lieu le terrible massacre (« feu, sang ») des Gardes Suisses le 10 août 1792, alors que le roi s'était rendu à l'Assemblée Nationale, en traversant le jardin, ce « vieux parc solitaire et glacé » balayé par les feuilles mortes du monde ancien.

Le groupe noble et discret de la « Demeure de l'Esprit » se manifesta historiquement au seizième siècle dans la confrérie du Précieux Sang instituée à l'abbaye de Fécamp par le cardinal Louis de Lorraine, trente-cinquième abbé ; d'où l'ajout au dix-septième siècle des *trois clous d'argent* et de la *couronne d'épines de sable* sur le blason de l'abbaye. Ce Louis de Lorraine fut assassiné par Henri III à Blois le 24 décembre 1588… Il eut donc une fin tragique tout comme Guillaume-Dominique Letellier, abbé constitutionnel de Fécamp de 1791 à 1802 après la mort du dernier abbé, qui cacha soigneusement aux yeux fanatiques des loups révolutionnaires la relique du Précieux Sang du Champ du Figuier : « oui l'odeur de mon fils est comme la senteur d'un champ béni par l'Éternel. »

Cette confrérie recueillit aussi l'esprit de l'Ordre du Nœud, après la disparition de son « *trouveur et fondeur* ». Le 23 mai 1352, jour de la Pentecôte, Louis de Tarente (d'Anjou), roi de Jérusalem, de Naples et de Sicile, créa ainsi l'ordre chevaleresque de « la très noble Compagnie du Saint-Esprit au Droit Désir » (cf. l'« ardent désir » de René d'Anjou), appelé aussi Ordre du Nœud. Cet ordre, qui soutenait la royauté angevine en Italie du Sud ainsi que la « Sainte Église de Rome », devait comprendre trois cents chevaliers élus. Le cri de l'ordre était : « Au nom du Droit Désir » et son emblème une colombe auréolée de rais de lumière. Les chevaliers portaient sur leurs armes et leurs habits cette devise : « Si Dieu plaît », ainsi qu'un nœud d'or et le « rai ardent ». La bannière des chevaliers devait être « d'argent ou toute blanche avec un grand rai ardent au milieu du Saint-Esprit ». L'ordre était placé sous la protection de saint Nicolas de Bari, dont l'image pendait au bas du collier. Et, à genoux dans la chapelle de l'ordre, les chevaliers commençaient à réciter la première phrase du *Veni Creator*…

*

Et moi, *pour l'amour de Dieu*, qu'étais-je donc venu faire dans cette galère ? Pourquoi m'étais-je détourné, au lieu-dit du Fond Pitron, du droit chemin de l'ancienne voie romaine qui menait à Étretat (de même qu'après Sainte-Ménehould la berline royale, verte et jaune à six chevaux, bifurqua de la route normale pour la place forte de Montmédy où attendaient des régiments fidèles à la monarchie…) ?

« Je ne puis raconter comment j'y suis entré, tant j'étais endormi profondément alors, quand j'ai abandonné la véritable voie ». Je voulais voir la maison de Maurice Leblanc et pourquoi pas le rencontrer. Finalement, je suis venu m'échouer ici comme en plein naufrage et y demeurer « cette nuit-là, passée dans les tourments » ; tel un étranger sur la terre, un voyageur sans bagages, un chevalier errant. Je risquais d'être englouti dans un déluge par la « mer grosse » et la « tourmente » de ces tragiques événements, hors de toute route tracée. Peut-être serai-je comme le roi Gradlon sauvé des flots lors de la submersion de sa ville, grâce à l'intervention du saint et à son choix de renoncer au mal ?

Je m'interrogeais déjà sur mon interrogatoire à venir… Et surtout comment donner la moindre explication rationnelle et cohérente à la police, si profane et stupide, de ma présence sur les lieux et de mon innocente implication bien malgré moi ? D'ailleurs, j'ignorais tout à fait comment elle avait bien pu remonter à ma modeste personne… Allait-elle m'interroger, dans son opiniâtre bêtise et sa grossière et lourde vulgarité, sur mes liens avec la victime et mon « passage » aventureux sur place, mon escapade nocturne en pays de Caux ou d'Argonne où j'ai foncé sur les chemins, à travers champs et forêts ? Pour eux je ne pourrais donc que me trouver au mauvais moment au mauvais endroit… et, pourquoi pas, être à leurs yeux le coupable idéal. J'espérais que l'enquête policière se détournerait vite de moi pour se diriger certainement vers ces affaires judiciaires défendues par l'avocat paraclétique au grand cœur et à la science infuse, vers ces dossiers terribles où il a dû se faire bien des ennemis et en haut lieu…

Je pensais devoir me taire mais mon silence risquait d'être interprété de fait comme un aveu de culpabilité, comme si j'avais un secret inavouable à cacher. Le simple récit des faits réels ne pourra lui sembler de toute façon qu'une histoire à dormir debout, une fiction peu crédible de mauvais romancier insomniaque en manque d'écriture, un divertissement de marchand de livres qui, à force d'en vendre, s'amuse avec vanité à vouloir en écrire un. Quelle drôle d'idée que de vouloir écrire une fiction ! Surtout qu'en plus de la fatigue et du choc terrible produit sur moi par les événements j'avais un peu abusé la veille au soir du sang divin de la vigne. Pour tout dire encore quelque peu gris de ce Tokay hongrois, pourtant assez doux, que l'on m'avait offert : *rex vinorum et vinum regorum*, et d'un ginglet de Cergy. Mes idées et mes souvenirs n'étaient pas très clairs. Ce qui, il faut le dire, ne plaidait guère en ma faveur… Mais que peut donc comprendre la maréchaussée civile mandatée par la capitale à l'ivresse du grand air des côtes maritimes pour les parisiens qui ne savent plus respirer, à la sobre ivresse de l'Esprit, soif suréminente et suressentielle, du vol mystique sur les ailes de la colombe de l'esprit simple et anéanti en Dieu ?

Au clair de la lune, trois petits lapins qui mangeaient des prunes comme trois petits coquins, la pipe à la bouche, le verre à la main, en disant : « Mesdames versez-nous du vin tout plein, jusqu'à demain matin ».

*

Et il était ce demain matin, le jour d'après. En effet, j'avais dormi tardivement d'un sommeil de plomb plein de rêves de *vers dorés* comme un ciel étoilé et l'on aurait alors sauvagement assassiné tous les habitants de ce village si calme, paisible et pittoresque que je n'aurais rien vu ni entendu. Je me rappellais par contre d'un songe étrange où, comme un homme ayant perdu la raison, j'étais en train de compter les galets de la plage (comme des régules martiaux étoilés de l'antimoine…) - noirs, blancs, gris et rouge sang - et de les ranger par taille, par teinte, par motif et par forme lorsque je m'aperçus qu'un chiffre et une lettre étaient inscrits sur le dos de chacun. Grâce à eux, je me lançai dans de savants calculs, combinaisons, musiques et plans géométriques me révélant le secret de la construction de l'univers, ainsi que de châteaux et de cathédrales du Moyen-Âge et de la Renaissance… Ensuite un grand figuier m'enveloppait dans ses bras, rouge du Précieux Sang de notre salut et orné des trois lettres du mot Pax, des trois clous de la Passion, de la Couronne d'épines et d'une fleur de lys… Autour la foule acclamait : « vive le Roi ! ». Enfin, une fois revêtu de ce manteau comme le prophète Élisée, j'étais officiellement invité à l'enterrement secret et solennel d'un homme mystérieux qu'on me disait être « l'homme invisible ». Qui était-il donc ? Et quel est le formidable « secret de sa tombe », dans un lieu connu que de très rares initiés, gardé par les « sept pleurants » de pierre qui s'animèrent, devenant soudainement vivants ? Descendant dans la crypte du grand roi d'Austrasie, j'entendais alors ce proverbe breton : *Qui voit Sein voit sa fin* et ces bribes de phrases :

« La voûte et la route… Attention minuit approche ! Que va-t-il donc se passer ? La moitié de la nuit, l'heure de l'héritage (le nom même du trésor royal lié à un chêne, indiqué par un rayon de lumière au solstice d'été). La Tour de l'Horloge… La Tour Saint-Jacques… C'est l'arche de la voûte de l'église au-dessus de la route du destin… C'est la grande « Nuit de l'Héritage »… Mais qui est le « maître des horloges » ? »

Sinon, à part évoquer les mânes d'Arsène Lupin, « l'aimable Lubin » (ce saint Lubin qui est vénéré à

Lizio, ermite à Champsecret avant d'être évêque de Chartres), dont la figure mythique et néanmoins très réelle hante les moindres recoins de la région et qui sortirait comme un *deus ex machina* au milieu de la représentation des falaises où les éléments jouent sur le grand orgue de la nature, je ne voyais pas comment résoudre cette invraisemblable situation et défaire le nœud qui se resserrait dangereusement autour de mon cou. J'étais comme pris au piège, jeté dans le jeu et les méandres d'une intrigue trop compliquée pour moi et lancé sur scène sous les feux de la rampe sans aucune préparation ni didascalie… Je ne connaissais pas mon texte et l'on voudrait me le faire jouer aux yeux de tous ! En tout cas, bien involontairement de ma part, ce périple restera gravé, je crois, à la craie sur le tableau noir de ma mémoire. Je m'en souviendrai toute ma pauvre et triste vie.

D'ailleurs, j'avais la pénible impression que celle-ci avait soudainement basculé vers des profondeurs insoupçonnées auparavant, m'arrêtant en chancelant au bord de l'abîme vertigineux et ne sachant vers quelle direction plutôt pencher. Et je croyais que j'étais arrivé là où la route se divise vers deux côtés : je devais faire un choix crucial entre le Ciel et l'Enfer, la lumière et les ténèbres, l'ordre et le chaos, choisir définitivement mon camp. Et les imbéciles et les aveugles ne peuvent pas comprendre que c'était là pour moi une question *de vie ou de mort*, de vie éternelle ou de mort spirituelle qui se tranche la gorge… Enfin, demain est un autre jour, comme on dit bêtement pour se réconforter quand on ne sait plus quoi dire et penser… Oui je pourrai prendre comme devise personnelle ce « demain est un autre jour », non pas dans un sens de procrastination mais comme signifiant bien « à chaque jour suffit sa peine ». Ou dit d'une autre manière : « après nous le déluge ! ».

Les maux qui dévorent les hommes sont le fruit de leurs choix et ces malheureux cherchent loin d'eux les biens dont ils portent la source.

III.

Comme un qui erre aux champs, lors que la nuict au monde

Ravit toute clarté

En sortant de ma tanière hôtelière, puisque j'y étais enfin autorisé après un premier interrogatoire dans ma chambre avec le policier qui était revenu en soirée, j'ai donné une pièce à un pauvre mendiant âgé et aveugle - mendiant en son propre royaume ? - qui faisait peine à voir dans sa misère déshumanisante, dans ses piètres guenilles d'arlequin désargenté. Telles la robe rapiécée et bariolée de saint François d'Assise ou des Soufis, telles le *tribôn* : le manteau grossier dans lequel Diogène cachait sa nudité. Que ne suis-je saint Martin de Tours dans sa charité pour lui donner la moitié de mon manteau !

Il m'était difficile de rester indifférent à ses airs terribles de triste chien battu, la tête rasée, la barbe longue et touffue et le visage noirci par le soleil et la crasse, comme avec de la boue sur les yeux. On aurait dit un sauvage (comme ceux du « bal des ardents »…), faisant peur à voir. Il marchait la plupart du temps pieds nus, ce qui me semblait particulièrement inapproprié sur les galets de la plage. De plus, apparemment d'une blessure ancienne à une jambe, il boitait un peu comme un lexovien et s'appuyait sur un long bâton qui me fit penser, je ne sais pourquoi exactement, au bourdon des anciens pèlerins de Saint-Jacques-de-Compostelle. J'avais l'impression de reconnaître dans ce mystérieux clochard, malgré tout empreint d'une certaine noblesse venue d'ailleurs, un ancien ami perdu de vue depuis très longtemps, un vieux *compagnon de voyage qui m'aide à avancer sur le chemin d'une vie plus heureuse*, un lointain correspondant de plume et de feu. Il écoutait ma voix, touchait mon bras et sentait mon parfum, comme un proche.

Le mendiant d'Yport revivait dans sa chair le martyre de saint Léger d'Autun aux yeux arrachés (ainsi que ses lèvres et sa langue…). Selon la tradition, ce dernier survit miraculeusement à ses blessures et à la faim durant neuf jours dans la forêt à proximité d'Autun, près de la Pierre de Couhard, avant d'être retrouvé par ses proches. Il fut ensuite recueilli dans l'abbaye de femmes de Fécamp pendant deux ans où il retrouva tout aussi miraculeusement la parole. L'église de Couhard est logiquement dédiée à saint Léger, en face de la Pyramide. Son clocher est orné de quatre gargouilles représentant quatre animaux, dont un chien et un loup…

Alors que je sortais un cigarillo (un Montecristo) de la poche de ma veste grise et que je commençai à l'allumer, il m'en demanda un, l'alluma à son tour et en profita pour m'offrir en même temps son joli briquet ancien en argent, orné d'un lion héraldique gravé, qu'il me dit avoir trouvé sur la plage et qui donc selon lui ne lui appartenait pas plus à lui qu'à moi. Alors que j'acceptais à mon tour son cadeau, il me dit que c'était pour rallumer le feu et qu'il ne fallait pas suivre l'exemple des vierges folles n'ayant plus d'huile dans leurs lampes. Mais de quel philosophique feu secret ou feu célestiel peut-il donc s'agir ici ?

Le tout en seul vaisseau compris,
Le feu, l'air & l'eau, que je pris
Dedans son terrestre vaisseau,
Qui tous sont en un seul fourneau,
Je cuis lors, dissout, & sublime,
Sans marteau, tenaille, ni lime,
Sans charbon, fumier, bain marie,
Et sans fourneau de soufflerie.
Car j'ai mon feu célestiel,
Qui excite l'élémentel
Selon que la matière appète
Forme telle qui lui compète.

En souriant avec une extrême douceur, il m'appela « Monsieur Durand, euh pardon… Monseigneur, je suis votre très humble serviteur », comme s'il s'adressait à une personne royale en faisant une révérence, sans que je sache si cela marquait vraiment de sa part un respect tout protocolaire venu d'un autre temps ou n'était qu'une pointe d'ironie cinglante et cynique.

Il me parla rapidement de mon correspondant Pierre-Isaac qu'il connaissait un peu et qu'il appelait étrangement « Pierre de Couhard qui n'est pas couard » (surtout que l'avocat s'amusait lui-même à se faire appeler « Pierre du Fourey »)…

Par ailleurs, j'étais intrigué par son curieux accent étranger que je n'arrivais pas à définir, comme un mélange hétérogène, avec parfois une interversion du masculin et du féminin tel un anglais parlant français, disant par exemple ainsi *le* perle pour *la* perle ou *la* lieu pour *le* lieu…

L'espace sacré d'un instant ou le temps aventureux d'un trajet, Yport sur la Mer du Nord devenait l'antique et sauvage Salmydessos thrace sur la Mer Noire, aujourd'hui en Turquie, habitée de terribles pilleurs et naufrageurs (comme ceux de Bretagne…).

Yport devenait le territoire disputé de la plaine du Nord entre Israël et Moab, fils de Loth, enjeu de conflits et de malédictions.

J'ai ainsi passé dans ma chambre des « Sirènes » une nuit terrible - « longue, orageuse et noire », la nuit du déluge où j'ai été visité par le spectre de la « terreur de la nuit » et où les averses sans fin se déchaînaient à ma fenêtre. « *Oui, à la fenêtre de ma maison, par ma lucarne, j'observe* ». Ce n'était pas cette nuit dernière (étoilée), mais celle d'avant (noire plus noire que le noir), la

94

pénultième en quelque sorte, celle suivant immédiatement l'assassinat de Pierre-Isaac.

*

« La terreur, la fosse et le filet sont sur toi, habitant de Moab ! dit l'Éternel. »

« Celui qui fuit devant les cris de terreur tombe dans la fosse, et celui qui remonte de la fosse se prend au filet ; car les écluses d'en haut s'ouvrent, et les fondements de la terre sont ébranlés. »

Lors de cette nuit-là agitée, j'ai fait un terrible cauchemar où je me suis retrouvé comme transporté dans un autre lieu et à une autre époque, voire à d'autres époques à la fois, entraîné dans cette périlleuse « sortie » par une femme séduisante au regard envoûtant que j'avais rencontrée par hasard à la terrasse d'un café. Dans ses yeux on pouvait voir les plaines de Moab, au-delà du Jourdain, vis-à-vis de Jéricho.

Elle portait étrangement de somptueux vêtements et de précieux bijoux, ainsi qu'une grande coiffe extravagante. D'un autre âge. Quand elle marchait tout le monde s'effondrait autour d'elle au moindre de ses regards, comme saisis d'une mystérieuse plaie qui les foudroyait sur place : un millier pouvait ainsi tomber par heure tout au long d'une journée…

Elle vint vers moi et je la suivis comme un insensé sur le chemin du « petit séjour » de sa maison (qui est en fait celui des enfers…), puis dans le dédale du hall, des couloirs et des escaliers de ce proche et prestigieux hôtel particulier parisien, siège de l'adultère, maison de la malédiction qui s'y transmet de génération en génération.

Alors qu'elle était d'habitude totalement déserte, il s'y déroulait à ce moment une somptueuse réception, un grand bal masqué, une royale fête galante au milieu de laquelle nous évoluions comme des fantômes, transparents et rapides, délivrés des lois de la physique, hors de la pesanteur. J'avais ainsi l'impression de me déplacer facilement et silencieusement dans les airs, de ne plus être moi-même mais d'être devenu un instant un personnage important, un grand seigneur du royaume, craint et redouté, un irrésistible séducteur et un dangereux magicien, un tyran sans foi ni loi ne pensant qu'à sa réussite personnelle et à la satisfaction de ses désirs, plein d'envies criminelles et d'hypocrisie. Mais suis-je donc si mauvais et grand pêcheur devant l'Éternel ?

J'entendais dire que je me trouvais désormais dans la maison du « Roi des Frayeurs », au fort parfum de soufre, dans le domaine du faux culte aux festins et aux orgies. Aussi que c'était là « la dernière fête avant le grand Déluge de la fin du monde » et qu'y était attendue fiévreusement l'arrivée du « Grand Monarque », puisque le roi régnant était étrangement devenu fou.

« C'était à l'heure du crépuscule, quand le soir tombait et que la nuit se faisait sombre et obscure. Or, voici qu'une femme l'aborde, à la mise de courtisane et au cœur artificieux. »

Je savais que je n'aurais absolument pas dû suivre cette étrangère mariée, aux paroles doucereuses et aux allures somptueuses, dans le piège infernal qui m'était tendu : en aucun cas, d'aucune manière et pour aucune raison. Que mon cœur ne se détourne pas vers les voies d'une telle femme, ne s'égare pas dans ses sentiers, car c'est le chemin du séjour des morts ! Car là résidait le gîte et la retraite tranquille de Lilith, le nid de la vipère et la réunion des vautours. L'« infernale créature » fonçait dans ces lieux de perdition qu'elle connaissait parfaitement, ne se retournant jamais, ne disant pas un mot. Et j'avais l'impression d'aller derrière elle comme son chien docile, comme un client derrière une prostituée qui l'invitait dans sa pièce de débauche, une louve impure sortant de l'obscure

« forêt sauvage », une prêtresse du mont magique de Péor. Je savais que je risquais de tout perdre, pas seulement mon argent et ma semence vitale, mais aussi certainement mon âme engloutie dans les flots terribles… Dans les cris de l'épouvante de la nuit, au fond de la fosse dont on ne se relève pas et qui aboutit aux « demeures souterraines de la mort », prise au puissant filet de l'oiseleur rusé et pervers.

On devait être dans la dernière décennie du siècle précédent, sous la Troisième République et la présidence de Sadi Carnot qui mourra à Lyon, mortellement frappé d'un poignard au manche rouge et noir par un jeune anarchiste italien.

Et je reconnaissais, dans les traits gracieux mais sévère du visage de cette étrangère entrevu un instant à la terrasse du café, la mystérieuse inconnue - au cœur de courtisane et aux mauvaises intentions - qui m'avait tant troublé au milieu de la forêt de Roumare, alors que je m'y étais quelque peu perdu dans la pupille de la nuit et de l'obscurité.

Fait encore plus troublant, elle était en réalité le sosie parfait de cette déesse Ishtar représentée sur la grande plaque antique en pierre se trouvant au milieu du vaste hall d'honneur : entièrement nue, ailée et armée d'un arc telle Diane chasseresse, les pieds reposant sur deux lions (tels ceux à droite et à gauche du portail d'entrée du « château des lions » de Canteleu, à côté du « temps perdu »…). Attention à sa flèche !

Après la rue du couloir de ma perte, voici la place de ma défaite. Une fois poussée la lourde porte babylonienne de la chambre au dernier étage où elle s'était finalement réfugiée, je la trouvai là, entièrement dévêtue et ornée de bijoux précieux, dans une pose sensuelle au milieu d'un vaste lit parfumé plein d'un raffinement oriental. Comme la tentation de l'évêque saint Romain se réchauffant près du feu, nue et les cheveux dénoués, faisant de son corps le tombeau de son âme…

Elle me dit de venir la rejoindre, comme nous en avions apparemment l'habitude, tel un couple illégitime. Mais au moment de m'approcher d'elle, le décor luxueux et sensuel de la chambre se métamorphosa en un lieu souterrain et sinistre, comme si je me retrouvais au milieu des ossements des catacombes, issus de l'ancien Cimetière des Innocents… Je vis soudain, dans les traits délicats de son délicieux visage digne d'amour, la Face même de la Mort, horrible et effrayante ! Cela me rappella une gravure sur bois de la traduction latine de la *Nef des Fous* de Sébastien Brant (par Jacob Locher, Bâle,

1497), montrant le songe d'Hercule avec, sur le chemin de gauche, la femme nue de la volupté cachant derrière elle la mort : « *Concertatio Virtutis cum Voluptate* ».

Comme un portrait magique évoluant dans le temps, un miroir où l'on reconnaît différentes réalités, un tableau philosophique de la Vanité…

Comme le masque de la Gorgone ornant la porte principale de l'Hôtel A. B. où je me retrouvai finalement, dans ce quartier historique du Marais. Mais là ce n'était plus moi, ou plutôt juste mon cadavre, la main coupée comme à un voleur, qui avait été laissé dans le caniveau après un sanglant guet-apens, avant la Porte Barbette, à l'entrée de l'Impasse des Arbalétriers.

La nuit venait de tomber et je me voyais remonter la rue Vieille-du-Temple, passant du lit de la reine à l'appel fictif du roi. Et je fus soudainement attaqué par une troupe d'hommes de main qui se jetèrent sauvagement sur moi et mes gardes, me transperçant de leurs épées, me frappant de leurs massues et de leurs haches.

« Je suis le Duc d'Orléans ! »

Je mourus rapidement d'un coup de hache à la tête.

On frappa alors violemment à ma porte… C'est là que je me suis réveillé en sueurs, au moment où ma tête explosait (comme sous la pression de trop d'imagination fantasmagorique ?), mais avec une vive douleur à droite du ventre… Ma lampe de chevet était restée allumée (comme la lanterne du mendiant…), alors que « la lumière du méchant s'éteindra, et la flamme de son foyer cessera de briller ».

Quel étrange rêve perturbant ! Il ne s'agissait là peut-être que d'une simple et banale réminiscence, un vague souvenir inspiré de ce qui m'était arrivé la veille, à moins que c'était le contraire : que la rencontre ne représentait qu'une « projection » extraordinaire dans la vie réelle de ce rêve d'un événement plus ancien, terriblement traumatisant et comme occulté d'une mémoire ancestrale refoulée. En tout cas je ressentais alors une impression fort déroutante et désagréable, me laissant dans un état de malaise, au bord de l'évanouissement.

*

Le mendiant cosmopolite me demanda alors étrangement de lui ouvrir la porte de l'hôtel, où certainement il venait discrètement prendre un repas avant la clientèle de midi. Je ne compris pas très bien pourquoi il ne pouvait pas le faire lui-même et pourquoi il avait besoin de ce « service » de ma part. Je lui ouvris donc machinalement et mécaniquement la porte de l'établissement et pensai à le laisser seul à l'intérieur.

Trois adolescentes turbulentes - les filles de M. Thomas qu'il appelait « ses petites pestes », voyageur par les mers - y faisaient beaucoup de bruit, un vacarme infernal, criant, gesticulant et courant dans tous les sens, comme un essaim rapace se dirigeant vers la cuisine. Un autre résident de l'hôtel - M. Gengon, militaire à la retraite - vint heureusement y mettre le holà en se mettant en colère d'une manière toute guerrière, avec une autorité naturelle ; surtout sur la plus grande et meneuse du petit groupe, qui était une véritable plaie. Je ne sais pas pourquoi le mendiant avait un grand respect pour lui et l'appelait étrangement « M. le Duc de Choiseul »…

Mais je me surpris à rentrer à nouveau avec lui et à l'accompagner alors à la table qu'avait dressée l'aubergiste à son intention, dans un recoin à part à l'arrière du restaurant, sous la tonnelle. Il se réjouit de l'intervention de Gengon en disant qu'une fois de plus « Choiseul était venu à la rescousse », le remerciant de lui avoir évité « une cascade à se briser le cou ». Puis il me demanda, soudainement apeuré alors qu'il n'y avait aucune raison apparente, si j'avais bien refermé la porte derrière nous, faisant des gestes de la main comme pour chasser des mouches. Car il craignait bizarrement d'être pourchassé et harcelé par des « sorcières » venues d'ailleurs, descendues des airs. Nommées par lui ses « terribles harpies de la dévastation », il les comparait aux nombreux et meurtriers oiseaux du lac Stymphale. Déclaration que je pris pour un signe évident d'un certain état délirant de sa part…

Il m'affirma avoir en ce moment « tellement faim qu'il pourrait manger la table » ! Alors qu'il commençait son repas - que je lui avais servi comme si j'étais Jacob avec son père Isaac, j'en profitai pour l'interroger machinalement s'il savait par hasard combien de temps il fallait pour aller visiter Étretat, puisque j'étais dans la région. Me surprenant, il me répondit précisément et m'expliqua en détails la route à prendre ainsi que les endroits les plus intéressants à visiter, qu'il semblait parfaitement connaître comme un véritable guide touristique inattendu, m'engageant de plus à quitter les lieux au plus vite :

« La tour, prends garde, de te laisser abattre ! Fais attention à l'heure du crépuscule, au flot des douces paroles s'écoulant d'un cœur artificieux… Il te faut prendre alors une toute autre voie, si tu veux t'échapper de cet endroit sauvage ».

Mais, contre toute attente et sans que je ne lui demande rien, il me révéla qu'il avait été présent lors de la tragédie sanglante, du crime impie. Exilé ici dans ce village normand comme Diogène le Chien à Athènes exprimant dans sa personne le rejet des conventions sociales de son temps. La lanterne à la main même en plein jour, le vieillard ermite « cherchait un homme » désespérément, mais ne l'avait apparemment toujours pas trouvé jusqu'à maintenant dans ce trou perdu. Peut-être serait-ce moi par un subtil hasard ?

Il regrettait que l'homme est un loup pour l'homme et me mit en garde contre les bavardages inutiles et les discours hypocrites de Platon. Il s'étonnait encore naïvement que la police stupide et aux ordres n'avait même pas pris la peine de l'interroger, alors même qu'elle était venue me voir moi. Comme s'il n'existait pas ou était du moins tenu pour un sous-homme, un fantôme d'existence mineure et dérisoire, un curieux homme transparent. On le tolérait à peine, en le surnommant « l'étranger » (comme les médisants appelaient Marie-Antoinette « l'Autrichienne »...) ou encore « le fou ». Et personne ne s'intéressait vraiment à lui, surtout à ce qu'il pouvait bien savoir ou dire ! Les notables du village et puissants de ce monde le méprisaient et se moquaient de lui comme le fit Dom Juan avec le pauvre qu'il rencontra à cheval, qui ne blasphéma pas. Il me fit aussi penser au paysan ruiné par le feu que rencontre Merlin avec le roi Arthur. Il trouvera finalement un coffre rempli de pièces d'or…

Roi Méhaignié, cela faisait en réalité longtemps que le mendiant d'Yport était blessé et paralysé dans son triste état et qu'il attendait sa guérison au milieu de la terre gaste, la varenne de l'existence dévastée de sa pauvre déchéance. Il semblait crier au monde sa détresse mais le monde ne voulait pas l'entendre, comme le personnage décrit par Villiers dans « Vox populi » :

« Et, lorsque enivré de fanfares, de cloches et d'artillerie, le Peuple, troublé par ces vacarmes flatteurs, essaye en vain de se masquer à lui-même son vœu véritable, sous n'importe quelles syllabes mensongèrement enthousiastes, le Mendiant, lui, la face au Ciel, les bras levés, à tâtons, dans ses grandes ténèbres, se dresse au seuil éternel de l'Église, - et, d'une voix de plus en plus lamentable, mais qui semble porter au-delà des étoiles, continue de crier sa rectification de prophète :

- « Prenez pitié d'un pauvre aveugle, s'il vous plaît ! » (*Contes cruels*).

Le curieux témoignage inédit de celui que j'ai pu prendre un moment pour Ulysse l'Archer revenant incognito à Ithaque m'apporta une précision surprenante. Ainsi sur tout le long de la flèche meurtrière, antique et dorée à la feuille d'or, était représenté - selon les dires prophétiques de mon témoin providentiel, étrangement aveugle voyant - un serpent rouge fait d'incrustation de pierres et de bois précieux : la pointe mortifère de la flèche, arrosée de venin des serpents, se confondant étrangement avec la tête du serpent maléfique. C'est Python, le serpent monstrueux et dragon chtonien qu'Apollon tua avec ses flèches à Delphes, au pied du Mont Parnasse, et qu'il laissa pourrir au soleil.

J'y vois quant à moi, dans cette flèche d'or empoisonnée et ce serpent énigmatique, comme une signature occulte, un sceau ténébreux, un intersigne terrifiant, dans une stupéfiante faille spatio-temporelle, de mystérieux agents secrets de la subversion révolutionnaire occultement toujours et plus que jamais agissante dans le monde actuel. « Vive la révolution, vive l'anarchie ! » La plaie de la peste est la morsure du serpent. Cela n'est certainement pas sans rapport non plus avec les sinistres agissements de Joseph Basalmo, comte de Cagliostro et prophète impie de la « tempête » de la Révolution Française, qui avait justement choisi comme sceau un serpent transpercé d'une flèche. Et ce n'est pas pour rien qu'Arsène Lupin fut aux prises avec sa descendante :

« C'est ici la première aventure d'Arsène Lupin, et sans doute eût-elle été publiée avant les autres s'il ne s'y était maintes fois et résolument opposé. - Non, disait-il. Entre la comtesse de Cagliostro et moi, tout n'est pas réglé. Attendons. L'attente dura plus qu'il ne le prévoyait. Un quart de siècle se passa avant *Le Règlement définitif.* Et c'est aujourd'hui seulement qu'il est permis de raconter ce que fut l'effroyable duel d'amour qui mit aux prises un enfant de vingt ans et *La Fille de Cagliostro.* »

J'ai suivi aussi une autre piste d'investigation qui me mènera loin vers des mystères tout aussi ténébreux. Je veux ici parler de la Confrérie de la Flèche d'or de Maria de Naglowska, la sulfureuse grande-prêtresse de Satan et disciple de Raspoutine qui tenait ses salons à Paris, dans le quartier de Montparnasse, avant de finir ses jours à Zürich. Je veux aussi parler de la secte luciférienne du Grand Lunaire opérant pareillement en région parisienne et ayant des appuis politiques et financiers haut placés. D'une manière générale des adeptes dégénérés et pervers de la terrible *voie de la main gauche.*

Dans une ultime révélation qui pèse lourd comme une montagne, le mendiant mystérieux me confia enfin, gratuitement et le plus fidèlement possible, qu'il avait pu s'approcher du corps du saint martyr agonisant et recueillir devant l'église, sans les comprendre vraiment, les derniers mots quelque peu décousus de son dernier souffle, qu'il reçut comme un confesseur. M'avouant jouir d'une excellente mémoire auditive (compensant le fait qu'il ne pouvait voir), il me les restitua tels quels, en y mettant même une interprétation toute théâtrale, comme s'il rejouait solennellement cette scène tragique :

« Les marchands… les marchands sont dans le Temple, débarrassons la forêt de ses loups… ils sont dans la bergerie…, ils règnent sur les châteaux désormais maudits du Louvre et de l'Élysée. Il n'y a plus de roi en France. La République Française est notre ennemie … La bête hideuse, l'hydre aux multiples têtes, quel est son vrai visage ? Les soixante-douze… Jézabel est de retour… Qui va s'asseoir sur le trône de Satan et enseigner sa doctrine ? Écrasons la tête du serpent ! Ah… Astérion… L'heure du jugement arrive… »

Ces paroles ne s'adressent-elles pas finalement à moi pour éclairer ma lanterne, dans un cheminement insoupçonné de la Providence où un simple mendiant inconnu agit en qualité d'énigmatique médium ?

« Je te vois encore partir, mais pour une terre étrangère cette fois où tu devras faire face à de grands dangers causés par le « fils de la perdition » qui finira un trente avril dans les flammes de l'Enfer, passant ainsi d'un orgueilleux nid d'aigle à une infâme tanière de loup traqué. Mais tu survivras, grâce aux prières de sainte Vaubourg, dont l'huile est miraculeuse et qui protège contre la magie noire et la sorcellerie. »

Dévoré par la curiosité, je voulus aussi l'interroger sur lui-même et son triste sort. Comment donc en était-il arrivé là ? Quelle était sa propre histoire tragique ? Mais il se referma comme une huître dans sa coquille, me laissant juste comprendre qu'il aurait pu, s'il l'avait voulu, « régner dans les hautes sphères du pouvoir et avoir une vie de château, dans les couloirs secrets et sous les lustres et les ors de la République » (selon ses propres mots !). Comme s'il avait rejeté tout désir de pouvoir et de richesse, tel un fol en Christ dans la Russie des Tzars ou le philosophe miséreux qui dit à l'empereur tout-puissant : « ôte-toi de mon soleil ». Peut-être qu'il divaguait aussi tout simplement et qu'il racontait vraiment n'importe quoi, tenant ainsi des propos incohérents et délirants, tant sa pauvre condition actuelle avait pu altérer sa santé mentale…

« Méfie-toi, mon garçon, du pouvoir et de sa capacité de nuisance. Tu sais, j'ai bien connu Louis XIV à Versailles… Mais celui-ci fit malheureusement crever en 1660, par son médecin le docteur Antoine Vallot, l'œil gauche encore vivant du corps miraculeusement conservé de sainte Roseline de

Villeneuve. Le Roi Soleil sera puni de cet acte sacrilège en pourrissant sur place de la malédiction d'une gangrène noire se propageant à toute la partie gauche de son corps royal, jusqu'à en mourir... « *Ma peau est devenue toute noire sur ma chair, et mes os se sont desséchés par l'ardeur qui me consume.* » »

Le mendiant me dit aussi qu'il me voyait me rendre prochainement au palais de l'Élysée, ancienne propriété de la puissante et raffinée Madame de Pompadour. Ce qui est fort improbable, du moins je le crois. Son antique lanterne à la main droite, telle une lampe tempête de circonstance qu'il promenait toujours avec lui, il me parla aussi du pavillon discret de La Lanterne à Versailles et de certains rendez-vous fort discrets qui y avaient lieu (comme s'il s'agissait en fait d'une lanterne rouge de maison close mondaine…). Il me conseilla aussi de « bien garder la cellule intérieure » de ma chambre d'hôtel - dont il espérait que mon lit « fut protégé par soixante guerriers d'Israël armés d'épées comme l'était celui de Salomon » - et me remercia de « lui avoir ouvert la porte de mon cœur ». Je ne commence à comprendre que maintenant la portée de ses paroles, comme s'il s'agissait du misérable lépreux recueilli par saint Julien l'Hospitalier.

Une fois ses révélations faites, il se leva et sortit sans me dire un mot, après avoir bien entendu remercié son hôte pour son repas généreusement offert par la maison. Il me laissa ainsi seul dans un état de stupéfaction et de sidération, comme si j'avais perdu le sens et l'objet intérieur de ma quête dévorante. Ne sachant pas trop quoi penser de la recevabilité de cet étrange témoignage aux portées inouïes, semblant tomber du ciel par des voies tout à fait imprévues, je décidai alors de ne pas le révéler aux autorités, gardant pour moi ce secret fou, cette folie secrète. Comme une arme que je pourrais plus tard peut-être utiliser pour retourner des situations en apparence désespérées, comme si j'avais enfin un coup d'avance sur mon adversaire qui ne montre pas son vrai visage. D'ailleurs ai-je vraiment envie de découvrir celui-ci ?

Je ne revis plus jamais mon mendiant qui troublait et dérangeait les braves gens bien-pensants, « les bons patriotes » (« vive la nation, vivent les patriotes ! ») et les bourgeois endimanchés, endormis dans leur confort et têtus dans leurs convictions stupides, tant il était sale et repoussant, ridicule dans ses habits rapiécés et dans ses manières grotesques et grossières. Les vrais aveugles ne sont pas ceux que l'on croit : « mais leurs yeux étaient empêchés de le reconnaître ». Et l'on prend souvent pour fous les authentiques sages.

A certains moment, je crus voir le Maître - comme lorsqu'il marchait avec les deux compagnons d'Emmaüs - et j'ai eu l'impression un instant de me voir moi-même, comme dans un miroir énigmatique (celui-là même du métier de haute-lisse). Ce sont ses yeux morts, plongés dans la terrible nuit noire de l'ignorance, qui « virent » miraculeusement les derniers instants sur terre de Pierre-Isaac, gardien des vieilles traditions de lumière et lui-même un véritable « loup gris » (« *canus lupus* »). Il fut tragiquement offert en sacrifice aux idoles ténébreuses par un groupement secret voué au mal et que l'on croyait éteint depuis des siècles, descendant des montagnes maudites de l'Orient, répandant sur terre la fumée du puits de l'abîme. En signe précurseur de la future invasion des Gaules par les légions impériales romaines du nouveau César.

Moi, je mets mes pas dans ceux de mon Maître et Seigneur qui est la lumière du monde, ce seul et précieux guide. Je marche de nuit dans les ténèbres profondes, loin de tout et oublié de tous. Je l'attends en veillant toute la nuit, sans vouloir m'endormir, protégeant précieusement la lampe ardente qui guide mes pas dans les embûches de l'obscurité. C'est paradoxalement la salive et la boue noire qui nous redonne la vraie vue.

Vénérable ermite au grand manteau monastique, armé de mon bâton de pèlerin et de ma lanterne sourde, je fuis seul et silencieux, dans le désert intérieur, sur le chemin spirituel d'antimoine, ardu, obscur et secret, chemin direct et court, de la foi, de la nudité d'esprit, de la sainte simplicité, de la solitude intérieure, du détachement total, du non-savoir apophatique, du renoncement et de la liberté spirituelle. C'est la voie étroite, sèche et rapide, qui monte au Domaine vertical de Haute-Lice, sur la montagne élevée de la parfaite contemplation obscure, de la connaissance amoureuse, paisible et simple. Les yeux fermés à toutes les lumières d'ici-bas, éclairé par la seule lanterne pour la perfection de la nature, le flambeau qui brille dans un lieu obscur lors de la purification des cinq sens, des pensées, de la volonté et de la mémoire.

Secrètement, Pénélope défait de nuit la toile du linceul à la lumière de sa lampe perpétuelle et son ennemie mortelle, la magicienne Circé, rôde autour de la maison dans les ténèbres extérieures. Je monte l'escalier secret des sages et laisse derrière moi l'écorce des choses sensibles. Sous le figuier, à l'ombre douce et fraîche de son feuillage verdoyant, je médite jour et nuit la loi du Seigneur et prie sans cesse, attendant le retour du Messie, à l'été de la fin des temps.

Parmi les nôtres, nous espérons tous voir enfin venir le Grand Lévrier envoyé par le Christ et qui repoussera la maigre Louve de l'Enfer à « l'envie primitive ». Nous retrouvons ce Vautre dans le blason du village de Varennes-sur-Amance : « *De gueules au lévrier passant d'argent colleté du champ, surmonté d'un croissant d'or* », reprenant les armoiries de Marie Gabriel Louis Texier d'Hautefeuille, prieur de Varennes de 1765 à 1790.

*

Errant encore dans les vastes champs de la nuit obscure, où souffle le vent violent de la « tempête aux pieds rapides » et bruissent abominablement les ailes des sauterelles dévastatrices, je guette l'aube lumineuse du Jour Nouveau. Dans l'attente de la couronne de la victoire, du rameau d'or en forme de Y, celui-là peut-être que tient aussi à la main la Pythie de Delphes, animée du « subtil esprit du feu » de l'oracle mystérieux.

J'ai finalement l'impression d'avoir reçu, des mains du mendiant mystérieux, la bénédiction d'Isaac âgé et aveugle à Jacob le rusé, le fils cadet qui se fait passer pour son frère aîné Ésaü, le chasseur de gibier velu et roux. Jacob use de fraude et de tromperie, mentant éhontément, de plus avec la complicité de sa mère Rébecca ! Comme si Dieu, dans son infinie miséricorde, prenait des voies inédites pour assurer le salut des hommes, sa promesse à sa postérité, passant ainsi par le « détour » d'un mystérieux report selon l'élection et la seule volonté de celui qui appelle, préférant l'esprit à la chair, la grâce à la loi, la foi aux œuvres. D'une nouvelle forme spirituelle, d'un renversement du droit d'aînesse : « l'aîné sera assujetti au cadet » ; « j'ai aimé Jacob et j'ai haï Ésaü ». Quelle est curieuse cette famille biblique, opposée en deux clans ! La bénédiction « de la rosée du ciel et de la fertilité de la terre » est un don gratuit de Dieu dans une élection prédestinée à la grâce. Nous trouvons toujours, dans le monde actuel, ces deux lignées opposées… Heureusement qu'après la terrible malédiction de la belle et dangereuse « Madame Irma » (comme celle voulue par Balak le roi de Moab…) vint la douce bénédiction de mon Isaac !

Le mendiant d'Yport joua enfin pour moi le rôle de Phinée (fils d'Agénor, roi phénicien de Tyr), lors de l'expédition des Argonautes pour reprendre possession de la Toison d'or. Roi de la région de Thrace, c'était un devin frappé de cécité par les dieux. Le malheureux était tourmenté par les Harpies, qui lui ravissaient sa nourriture ou lui souillaient ses plats de leurs excréments (cf. le culte infâme au dieu Baal de Péor…). Et ce furent les deux frères Calaïs et Zétès - les fils de Borée, le vent du Nord - qui le délivrèrent de ces monstres. Par reconnaissance Phinée leur révéla la route à suivre pour atteindre la Colchide par le Bosphore, et les dangers à éviter.

Celui que l'on nommait donc « l'étranger », mystérieux voyant aveugle échoué en Normandie que j'appelais moi Monsieur Phi (ou le Fou de l'échiquier ou le Chien cynique), me montra effectivement le chemin que je devais prendre. Désormais tout seul sans Pierre-Isaac qui nous a quittés et que j'appelais quant à lui Monsieur Upsilôn (ou le Cavalier de l'échiquier ou le Loup gris). Moi-même ne jouerai-je pas alors dans cette histoire le rôle de la Tour de l'échiquier (comme la tête barbue sortant d'une tour que l'on trouve sculptée dans l'abbaye Saint-Georges de Boscherville) ?

*

De nuit viendra par la forest de Reines.

Me voilà revenu d'Étretat où j'ai finalement passé tout l'après-midi, en bonne compagnie avec l'excellent abbé Claude-Amour Tonnelle de Mondétour, qui exerçait dans la région ses fonctions sacerdotales. Certains paroissiens appelaient parfois cet éminent ecclésiastique, qui faisait également de la radiesthésie, du nom de « Père François », sans que je sache vraiment pourquoi. J'ai pu faire sa connaissance dans l'extraordinaire « jardin de curé » de sa maison proche de l'église, qui lui tient lieu provisoirement de presbytère (de « cour en ville » selon son expression) et qu'il avait baptisé « Les Islettes » comme cela était écrit sur la plaque ornant le portail (« le presbytère n'a rien perdu de son charme ni le jardin de son éclat »…). Son espace de verdure, l'abbé Tonnelle l'appelait lui-même « son jardin des philosophes », où l'on pouvait voir une grande pierre antique couchée et trouée qu'il dénommait quant à elle le « rocher de la fondation » ou encore la « pierre percée ». Mais il sera pour moi malheureusement le « Jardin des Oliviers » de mon arrestation finale. Si mon rendez-vous de midi a échoué, par contre je n'ai pas pu échapper à celui de minuit… Pourquoi suis-je donc repassé à Yport à la nuit tombée, « la nuit où tous les chats sont gris » selon le proverbe commun ? Cette fois-ci je suis bien en retard sur l'horaire que j'avais prévu et cela mettra un point d'arrêt fatal à mes péripéties, comme si je me réveillais soudainement au milieu d'un étrange rêve troublant.

Tout comme la famille royale, étrangement costumée comme pour un bal masqué, était arrivée « dedans Varennes » (en ce pays d'Argonne, possession du prince de Condé) et bloquée devant l'auberge « Le Bras d'Or » qui se trouvait à la sortie de la voûte supportant le transept de l'église de ce village isolé. A cause de Jean-Baptiste Drouet, bourgeois maître poste de Sainte-Ménehould (où naîtra le célèbre Dom Pérignon…) qui sera officiellement célébré comme « sauveur de la Patrie ». Il avait ainsi reconnu la reine et le roi habillés en domestiques et avait été lancé à leur poursuite à travers la forêt…

« Le 21 JUIN 1791
entre 11 Heures et Minuit
En cet endroit occupé alors par
L'ÉGLISE du CHÂTEAU
qui formait voûte au-dessus
de la ROUTE
FURENT ARRÊTÉS LOUIS XVI
Et la FAMILLE ROYALE
qui se rendaient à MONTMÉDY. […]

Le pont qui menait à la liberté, au milieu de la cité séparée en deux parts, a été barré et l'on fit sonner le tocsin. De l'autre côté de ce pont si important, la famille royale était attendue à l'auberge « Le Grand Monarque » (*sic* !) par le comte Charles de Raigecourt et le chevalier de Bouillé, commandant une cinquantaine de hussards (dont on peut bien se demander pourquoi ils ne sont pas intervenus malgré tout…). Mais ils étaient du mauvais côté… Après avoir vérifié leurs passeports et suspecté les véritables identités, l'épicier-chandelier et procureur-syndic Jean-Baptiste Sauce fera venir la famille royale dans sa maison juste avant le pont, où elle passera la nuit en espérant voir arriver les troupes du marquis de Bouillé qui étaient basées à Stenay, capitale mérovingienne.

Il est difficile ici de désigner un coupable à l'échec de cette fuite pourtant bien organisée et planifiée, de faire la part des choses entre un cruel manque de chance, une fatalité tragique quoi qu'il arrive et de simples défaillances humaines : changement de personne au départ (gouvernante qui prend la place d'un homme de main du duc de Choiseul dans la berline) ; retard pris dès le départ et déjà trois heures de retard à l'arrivée à Montmirail ; mauvaise organisation ou exécution des ordres du marquis de Bouillé et de son fils ; ainsi que du duc de Choiseul, responsable des hussards du régiment de Lauzun à Varennes ; peu de prise en compte des réactions des habitants de la région ; refus du roi, la nuit à Varennes, d'une sortie en force sous la protection des hussards de Lauzun, encore fidèles, dirigés par le chef d'escadron Calixte Deslon…

Voici ce qu'écrit, en 1837, Claude Buirette dans son *Histoire de la ville de Sainte-Ménehould et de ses environs* :

« Les trop grandes précautions prises pour favoriser l'évasion du Roi l'ont fait découvrir. Il ne fallait ni équipages brillants, ni troupes en station ; cet appareil a éveillé les soupçons, et la conduite de M. d'Andouins les a en quelque sorte justifiés. Que dire de sa manière d'agir à Sainte-Ménehould ? Quelle imprudence ! quelle gaucherie de sa part ! Il s'annonce comme venant au-devant d'un trésor : la famille royale était un véritable trésor sans doute ; mais ce n'était pas celui qu'il disait attendre. Cet officier se présente à la portière de la voiture la plus marquante ; il y parle d'un air très-respectueux et très-mystérieux à des personnes qu'il était sensé ne pas connaître. Ne devait-il pas plutôt se tenir prêt à partir avec ses dragons ? et l'on sait que leurs chevaux n'étaient pas même sellés lors du départ des voitures. Aussi M. de Bouillé, dans ses mémoires, se plaint-il que ses ordres n'ont point été ponctuellement exécutés. Si les stores ou les glaces de la berline couverte de la poussière de la route, fussent restés fermés, il eût été impossible de voir les voyageurs de manière à les reconnaître.

Arrivé à la poste de Pont-de-Sommevesle, le Roi ne trouve pas le détachement de hussards, ni M. de Choiseul, ni M. de Goguelet, qu'il devait y trouver pour le précéder ou l'accompagner. Dans leur impatience, ou croyant que les voitures n'arriveraient point, ces militaires, au lieu de se replier jusqu'à Sainte-

Ménehould où ils se seraient réunis aux dragons, ce qui aurait formé une force imposante, prennent des chemins de traverse dans lesquels ils s'égarent, et n'arrivent à Varennes qu'une heure après l'arrestation du Roi ; mais la fatalité s'était attachée aux pas de cette auguste et trop malheureuse famille. » (p. 561-562).

Le principal responsable de l'échec de la fuite de la famille royale semblerait donc être le duc de Choiseul, qui n'a pas, d'une part, respecté les directives de Bouillé et a, de plus, désorganisé le plan initial. Après l'épisode de Varennes, le corps municipal de Sainte-Ménehould fit le 22 juillet cette déclaration montrant leur attachement et leur fidélité à leur souverain :

« Nous rejetons avec indignation toute doctrine tendant à faire de la France une république, et nous jurons une inviolable adhésion à tous les décrets émanés de votre sagesse et nommément à ceux des 15 et 16 du courant, protestant d'y conformer notre conduite comme administrateurs, comme magistrats, comme juges, comme soldats et comme citoyens. »

Après l'insurrection du 20 juin 1792 aux Tuileries, le conseil général de la commune envoya encore au roi ce message de soutien, proche de l'esprit du Club des Feuillants :

« La commune de Sainte-Ménehould, en particulier, pleine de vénération pour votre dignité suprême, et touchée du noble courage que vous avez manifesté dans ce moment d'effroi, offre à votre majesté l'hommage du plus respectueux dévouement. Mais en même temps, Sire, pleine de confiance dans vos vertus civiques et dans votre fidélité à vos serments réitérés, elle ose espérer que par une conduite franche et digne du Roi des Français, vous vous montrerez l'invincible appui d'une constitution que vous avez acceptée, et sur laquelle reposent la liberté publique et la prospérité nationale. »

*

Cet épisode de Varennes fondamental dans l'Histoire de France - où le loup gris « dévore » finalement le roi démasqué - a toujours hanté mon esprit de son ombre tragique, comme si j'y avais été étrangement présent en imagination et en pensée. Tout s'est joué, au pied de la tour à l'horloge, à un quart d'heure et à une centaine de mètres près ! Et la délivrance proche, mais malheureusement sur l'*autre rive*… Comment peut-on ainsi échouer lamentablement si près du but, dans ce guet-apens ? Quelle farce ridicule pour cette famille ayant gardé honneur, dignité et bienveillance malgré les circonstances en leur défaveur ! Là, à Varennes, en pleine nuit, la royauté est déjà morte même si le roi reste encore vivant.

Moi-même j'ai l'impression d'être déjà venu dans les rues et les places de ce village lorrain traversé par l'Aire, de mystérieusement les connaître, pour y avoir vécu comme dans une vie antérieure. Et que dire de cet étrange sentiment de dédoublement spatial et temporel avec le village côtier normand où j'étais alors, voire même avec celui de la région parisienne au bord de l'Oise ? Dans une sorte de simultanéité relative sans lien causal. Il doit néanmoins exister quelque part un point commun et central, une origine cachée à ce mystère qui se manifeste sous mes yeux étonnés.

C'est comme une superposition, une surimpression en quelque sorte, comme des champs vibratoires à l'unisson, à plusieurs voies, un chant harmonieux à plusieurs voix… Ces lieux n'ont pourtant rien à voir entre eux, ni géographiquement ni historiquement, mais un parallèle s'est établi, une étrange correspondance ! On m'a toujours dit que le propre de l'intelligence était de créer des liens entre les choses, des connexions neuronales et spirituelles… Un lien invisible de synchronicité s'est là créé momentanément pour moi, un pont de l'au-delà (celui du Grand Monarque…), une ouverture sur un autre monde invisible aux yeux aveugles. D'une manière générale - mais loin d'une obsession paranoïaque de vouloir tout interpréter dans un même sens - je ressentais une profonde et subtile « intuition » intérieure expliquant bien des choses, une conviction intime que tout était alors relié, une simple évidence. Ce n'était pas une vision claire, une compréhension cohérente et rationnelle, mais plutôt une connaissance obscure mais efficiente d'un mystère incognoscible. En quoi pouvait-elle faire quelque peu bouger le cours des choses, voire influencer directement le déroulement des événements ? Là c'est une autre question…

Je dois ici vous faire une curieuse confidence. Je vis dans la maison parisienne de Pierre-Isaac, dans le seizième arrondissement, un portrait, daté du 14 novembre 1800, de François du Chariol, marquis de Bouillé (1739-1800), où on le voit regarder sur sa gauche, décoré de la grande plaque de l'Ordre du Saint-Esprit. J'y ai tout de suite remarqué une étrange ressemblance physique avec mon hôte, qui devait avoir au moment où je l'ai connu à peu près le même âge que l'homme altier ainsi représenté. Alors même qu'ils n'étaient pas apparentés à ce que je sache. Cela m'a frappé et quelque peu troublé, mais je n'ai rien dit alors. L'avocat parisien, expert « dans le cercle de sa spécialité », appelait curieusement l'homme du portrait « Le Général » ou encore « Le Général de Londres » et avait parlé une fois de « guerre des marquis » : celui de

Bouillé et celui de La Fayette qui, semble-t-il, étaient cousins.

Là il me fit des révélations sur la sainte champenoise Ménehould, vivant à l'époque mérovingienne. La famille royale passera par Sainte-Ménehould et Clermont-en-Argonne avant d'arriver à Varennes-en-Argonne, dans sa fuite nocturne dont la discrétion militaire voulue ressemblera de plus en plus à un secret de Polichinelle… La vierge était la fille du comte Sigmar qui administrait Château-sur-Aisne (construit sur un roc, ancien nom de Sainte-Ménehould). On a pu dire que Sainte-Ménehould fut la « cause primaire » de l'arrestation et Varennes-en-Argonne sa « cause secondaire »… Dans la région, on parlait des « Sept Saintes » (la vierge Ménehould et ses six sœurs).

Il attira aussi mon attention sur le fait que le départ de l'évasion royale, dans la nuit du 20 au 21 juin 1791, correspond au solstice d'été, traditionnellement associé à saint Jean-Baptiste (fêté le 24 juin) dont l'histoire a retenu la *décollation* de sa mort. Deux protagonistes importants de cette affaire porteront étrangement ce prénom : Jean-Baptiste Drouet à Sainte-Ménehould et Jean-Baptiste Sauce à Varennes ! Par ailleurs, l'arrestation du roi, qui sera exécuté plus tard, eut lieu un 22 juin, le jour de saint Alban (le blanc !) : martyr anglais qui fut décapité. Que de curieuses « coïncidences » !

Je me souviens d'une autre étrangeté, assez facétieuse cette fois-ci, encore liée à Pierre-Isaac (dont les initiales donnent le nombre Pi !). Celui-ci m'avait parlé de deux autres avocats, Me Henri Rousseau et Me Antoine Leroux, avec qui il était associé de longue date dans son cabinet parisien.

Or quelle ne fut pas ma surprise de découvrir par hasard le premier nom sur une plaque funéraire datée de 1445 (année de sa mort), dans le bas-côté sud d'une église parisienne ! On peut y voir de façon saisissante le défunt représenté à moitié sorti de son tombeau, le corps enveloppé d'un linceul écarté par les mains jointes, élevant les yeux vers le Christ en croix au-dessus et lui adressant une prière en latin inspirée du psaume 50 :

« Cy devant gist honorable homme et sage maistre Henry Rousseau, jadis advocat en Parlement, seigneur de Chaillaut et de Compans en partie, lequel dès son vivant a fondé en cest hostel trois messes… »

Quand au second nom, je l'ai lu sur une pierre tombale de l'abbaye Saint-Georges de Boscherville :

« Ici gist révérend père en Dieu maistre Antoine Le Roulx, docteur en théologie… »

Cet Antoine Le Roux, religieux et aumônier de Fécamp, fut le dix-neuvième et dernier des abbés réguliers de Boscherville (de 1506 à 1535). 1445 (à Paris) et 1535 (en Normandie) : voilà deux dates de décès qui nous font remonter dans le temps !

Et pour compléter ce tableau quelque peu « surréaliste », voilà une ultime révélation : le maire et docteur d'Yport porte - lui aussi - un nom à connotation historique. En effet, on trouvait un monument à la mémoire de Christophe Fourquaut (procureur à une cour de parlement, mort en 1488) au célèbre cimetière des Innocents à Paris, aujourd'hui détruit (connu aussi grâce à un certain Nicolas Flamel…). On y trouvait représentée la Vierge des Douleurs, tenant sur ses genoux le corps de son Fils au pied de la croix, entre saint Paul et saint Pierre (avec sa clé).

*

C'est en effet au petit matin que l'on vint me chercher à Yport pour me ramener à Paris, tout comme Jean-Louis Romeuf débarqua à Varennes envoyé par le marquis de La Fayette, avec son ordre d'arrestation officiel. Dans la capitale, je fus mené directement au 36 quai des Orfèvres, suite à de nombreux signalements contre moi et un faisceau d'indices convergents autour de ma pauvre personne (tel un faisceau de licteur…) lors de l'enquête policière sur Pierre-Isaac (qui joua le rôle en quelque sorte pour moi de père spirituel), que ce soit d'ailleurs à Rouen, à Fécamp ou à Yport. Je fus donc bien remarqué - et même suivi - alors même que je croyais être discret et quelconque, un visage anonyme, une personne sans histoire, un citoyen comme les autres. Là j'y fus longuement interrogé et séquestré, dans cette « impasse des enfermés » où je dus « expliquer » mon trajet de Cergy-Pontoise à Yport ainsi que mon parcours existentiel. Comme s'il s'agissait d'une simple ligne droite constante et régulière plutôt que d'un tracé sinueux !

Mais en fait je n'étais plus considéré comme coupable potentiel, mais plutôt comme victime « virtuelle » (par destination), à moins que je ne fusse à leurs yeux complice de cet attentat organisé. Les enquêteurs soupçonnaient ainsi curieusement, au sujet de la « fureur » du meurtre commandité qui s'est abattue à Yport, que l'assassin s'était vraisemblablement trompé de cible (nommée *joyau* dans les anciennes compagnies d'arbalétriers…) et que c'était en fait ma propre personne qui était visée par l'éclair de la flèche meurtrière pleine du poison cruel des aspics (peut-être tirée par le chasseur et guerrier

Ésaü dans sa terrible colère...). Pierre-Isaac sacrifié à ma place curieusement comme « le bélier qui s'était pris les cornes dans un buisson » à la place d'Isaac... Il aurait pris la flèche de la femme étrangère à ma place... Si ça se trouve aussi on l'a pris pour moi car je portais ce jour-là le même manteau et chapeau que lui, puisqu'il me les avait offerts comme un adoubement, une bénédiction transmise d'Élie à son disciple Élisée...

En tout cas c'était bien moi qui était suivi et espionné depuis mon départ de région parisienne. Pierre-Isaac - dont on peut se demander ce qu'il pouvait bien faire précisément sur les lieux, à part se rendre peut-être à la « Demeure de la Colombe » - a su quant à lui parfaitement garder l'anonymat (comme le rusé Ulysse « dont le nom est personne »). Celui-là même que Louis XVI, devenu « roi constitutionnel », n'a pas réussi à conserver dans sa « fuite » retoquée en « enlèvement » par l'Assemblée Nationale à son retour à Paris...

Les policiers avaient ainsi retrouvé un papier, glissé avec la pochette de veste de l'avocat, où était écrite cette phrase : « *venient dies luctus patris mei, et occidam Jacob fratrem meum.* » Je ne reconnus pas là l'écriture de Pierre-Isaac, mais plutôt celle d'une femme... Le « P. François », qu'ils avaient sollicité sur place, leur traduisit ainsi la sentence latine : « les jours du deuil de mon père vont approcher, et je tuerai Jacob, mon frère ». Le savant ecclésiastique leur expliqua que c'étaient, dans la *Genèse*, les paroles mêmes qu'Ésaü disait dans son cœur plein de colère pour venger la tromperie de Jacob, son mensonge et sa dissimulation (comme le roi Louis XVI caché au fond de sa berline, déguisé en simple valet de chambre : le maître devenu valet...). N'ai-je finalement, comme Jacob auprès de son père, que trompé et menti ? Ne suis-je donc qu'un falsificateur, qu'un mystificateur dans cette affaire, moi qui avais plutôt l'impression de m'être fait avoir et berné ? La force de Jacob réside plus dans ses paroles que dans ses mains… Peut-être pour mes intérêts personnels, mais certainement aussi pour réaliser la promesse divine, un plan supérieur de salut…

On avait encore retrouvé sur le cadavre de Pierre-Isaac, dans une poche de son pantalon, un étrange « talisman » à l'origine inconnue. Mes ravisseurs me montrèrent en effet cette ancienne et grande pièce en or qui retenait toute leur attention.

L'*avers* (ou le *droit*) représentait « PHINEUS », écrit en bas avec la date 1791. Il s'agit du côté *face*. Le roi et devin thrace était montré à table, de profil, avec une harpie ailée au-dessus de lui. Il était encore écrit en haut GENGOULT.

Le profil de Phineus ressemblait curieusement à celui de Louis XVI (de droite) présent sur les assignats de 50 livres (création du 30 avril 1792) des Domaines Nationaux. Je me souvins de ce qu'avait déclaré Jean-Baptiste Drouet :

« Je crus reconnoître la reine ; et apercevant un homme dans le fond de la voiture à gauche, je fus frappé de la ressemblance de sa physionomie avec l'effigie d'un assignat de 50 livres. »

Le *revers* représentait encore une autre « effigie », cette fois-ci « PHINÉAS », écrit en bas avec la date 1891. Il s'agit du côté *pile*. Le grand-prêtre d'Israël, fils d'Éléazar, fils d'Aaron, était montré en train de transpercer deux personnages de sa lance. Il était encore écrit en haut BELPHÉGOR.

Après avoir traversé le Sinaï, les Hébreux étaient arrivés dans le royaume de Moab. Là ils commencèrent à « se livrer à la débauche avec les filles de Moab », qui les attirèrent (sur la parole de Balaam) vers le culte infâme de leur dieu Belphégor. Ce culte avait pour but de supprimer toutes les barrières morales et toutes les valeurs humaines. Le « zélé » Phinéas a réussi à détourner de son peuple « le feu de la colère de Dieu ». Pour cela il transperça, d'une lance dont il s'était saisi, Zimri (« ma musique », fils de Salu, prince de Siméon), en même temps que la princesse madianite Cozbi (« mon mensonge » - c'est-à-dire mon adultère, fille de Tsur, chef des Madianites) en compagnie de laquelle il était. Par ce double meurtre (à l'endroit même où ils avaient péché !) « la plaie s'arrêta parmi les enfants d'Israël ». Elle avait fait vingt-quatre mille victimes. La Vulgate traduit de façon explicite la tente par le « lupanar » (lieu de prostitution sacrée) et le ventre par « les parties génitales » : « *ingressus est post virum Israëlitem in lupanar, et perfodit ambos simul, virum scilicet et mulierem in locis genitalibus* ». Le sacrifice « rituel » par le grand-prêtre juif permet ainsi la fin de l'épidémie de peste, mais la tache du « crime de Péor » restera dans les mémoires. Car cette « affaire de Péor » ne semble toujours pas entièrement refermée, même de nos jours…

Phinéas pourrait vouloir dire la « bouche de cuivre » ou encore la « bouche de serpent » ; ce serpent pouvant être lié à la pratique de la divination (cf. la coupe d'argent de Joseph). Péor (la fente, l'ouverture, la crevasse) vient d'un verbe hébreu signifiant « ouvrir la bouche largement ». Sur le mont Péor, sommet du pays de Moab, était donc adorée cette idole païenne de l'« ouverture » au péché, de la gueule béante de l'Enfer.

Cette représentation de deux « effigies » à la fois est inhabituelle en numismatique puisque c'est comme si nous avions à faire à une pièce à deux côtés face, une pièce dédoublée en fait. A moins qu'elles soient désormais devenues, dans une « incarnation » dans le futur, un seul même personnage. Qui est donc aujourd'hui ce mystérieux Phineus-Phinéas ?

Par ailleurs, quel peut bien être le sens de cette commémoration du Centenaire de 1791 ? A quoi donc cette date de 1891 peut-elle bien correspondre ? A celle d'une naissance ou d'une mort d'un personnage historique ou à celle d'un événement particulier ? A quel lieu peut-elle être rattachée ? A cette étape de l'enquête la réponse ne semblait pas être encore apportée…

*

Ils m'apprirent encore que des espionnes à la solde d'une puissance étrangère étaient intervenues dans l'affaire qui nous occupe ici. Aux pieds légers et rapides, se déplaçant vite. Celles-ci semblaient particulièrement redoutables, d'une intelligence machiavélique et n'hésitant pas à faire usage de leurs charmes féminins pour arriver à leurs fins détestables. Ces trois « Sœurs » avaient été dépêchées en fait par leur secte satanique de monstres hideux qui effraient et

133

infect le monde, pour prendre en même temps possession de trois endroits bien définis : Varennes-en-Argonne, Yport et Cergy (correspondant respectivement au passé, au présent et au futur). Ces harpies-sorcières et modernes filles de Moab, ces grandes prêtresses et prostituées sacrées de l'amour magique avaient un but précis et un plan déterminé d'envoûtement des lieux, de déplacement des bornes voulues par les anciens.

C'est à l'une d'elle - faisant appel dans ses incantations magiques nocturnes à l'esprit de bourrasque et de tempête - que Pierre-Isaac a été violemment confronté, jusqu'à devoir en mourir en plein jour. Peu de temps après son assassinat, la tempête exceptionnelle, qui ravageait depuis plusieurs jours la région et particulièrement forte au bord de mer d'Yport, s'arrêta aussi brusquement qu'elle avait commencé. Alors même qu'elle avait provoqué une trombe marine, impressionnante trompette de la fin du monde qui se manifestait par le véritable déluge qui finit par s'abattre sur le village. Ce qui fit bien sûr parler les gens du coin et les quelques touristes présents : chacun y allant de son commentaire ou même de son explication de ce phénomène naturel hors du commun. Surtout qu'au vent puissant de la tempête avait succédé l'eau de la pluie, des tonnes d'eau. L'heure était désormais surtout de constater les dégâts causés, matériellement et dans les esprits aussi.

Aello (nous allons ici l'appeler de son nom mythologique…) organisa une terrible cérémonie secrète qui eut lieu en retrait du centre-bourg, dans un petit bois isolé (comme les bois près du lac Stymphale…) où émergent des petits rochers et où se trouvent quelques anciennes tombes, aujourd'hui guère visibles au milieu de ce qui ressemble à des ruines. Telles celles de la cité maudite de Jéricho effondrée au son des trompettes… Sous les ailes de l'ombre maléfique du serpent, changeante et inquiétante, quand le tremblement et les cris de la nuit annoncent le sifflement strident de la flèche du jour. C'est le domaine de la terreur.

Des traces et des restes du rituel de cette nuit de Walpurgis - la nuit des sorcières - ont été retrouvés sur place, où l'on pouvait encore sentir une odeur de soufre sur l'autel, entouré de pierres dressées et de pieux en bois. La police, saisie par « l'horreur insolite de l'affaire », a pu ainsi exhumer *in situ* une figurine de cire plantée de clous ainsi qu'une « tablette de défixion » en une lamelle de plomb enroulée sur elle-même et transpercée d'un clou, liée à des divinités infernales.

La tablette d'exécration ou d'envoûtement d'Yport (cf. les textes d'exécration de l'antique Égypte), écrite en style boustrophédon, clouée sur une souche et destinée à lier vers le bas, semblait à la fois destinée au lieu et à la personne, invoquant Abrasax, mais aussi Seth, Belphégor et Dis Pater. Le texte commençait par : « Je cloue Isidore Dis. Donne la mort à la cible de ma vengeance… ». Le plus étonnant de cette magie noire et ligature magique de prières maléfiques faisant appel aux esprits des morts, c'est « 1891 » qui est indiqué à la fin du texte alors que je n'étais même pas encore né à cette date ! Au moment de mon « passage » à Yport, j'avais vingt-sept ans comme le roi Dagobert le Jeune au moment de sa mort !

Cette tablette est double puisqu'on trouve de l'autre côté un autre texte de malédiction, cette fois-ci beaucoup plus ancien, dont il est dit qu'il aurait aussi été déposé au pied de la Pyramide de Couhard, hameau en surplomb de la ville d'Autun. Cette face comportait quant à elle des noms (Onesiforus, Musclosus, Carpus, Attianus, Nepos Veracis et Titus) ainsi que des mots magiques (Abrasax, Dannameus, Kompôth, Thipherith, Gômatou, Sabalthôut, Bisôtorth et Dertherth).

C'est comme si l'on m'avait « invité » à distance à ce sabbat nocturne et que je n'avais pas voulu dans mon cœur y participer, refusant d'être corrompu et souillé par des actes impurs et infâmes et des allégeances à de cruelles entités magiques. C'est certainement de là aussi qu'un arrêt de mort irrévocable a été lancé contre ma personne. On m'a jeté un sort, un ordre d'exécution de la part de la plus méchante de ces louves maléfiques, devenue tueuse à gages, tirant la flèche diurne du destin, clouant finalement à ma place l'avocat parisien sur le mur de sa malédiction :

« Elle est d'une nature si mauvaise et cruelle, que jamais n'assouvit son vorace appétit, et qu'à peine repue, elle a plus faim qu'avant ».

En plus de la blessure mortelle de ce trait fatal (à la différence de saint Sébastien qui ne mourut pas à cause des flèches reçues…), il portait sur ses vêtements et son corps de nombreuses traces de piqûres et de lacérations, comme s'il avait été attaqué en plein jour pour une troupe funeste de volatiles aux serres d'oiseaux de proie et aux becs pointus et acérés, comme des crocs de fer. Le fait qu'il s'était retiré dans son ermitage de la « Demeure de l'Île Verte », ou « Château de Corbénic », n'a pas empêché qu'il ait été assassiné (ce fut la même chose avec Saint-Gengoulph tué par l'amant de sa femme, qui de plus était prêtre…). Transpercé et marqué d'une griffe diabolique…

Ce rituel de vengeance de la part de cette ignoble disciple de Jézabel et de Balaam faisait que ma mort (devenue celle de Pierre-Isaac) devait ressembler à celle du roi d'Israël l'impie Achab, « qui fit ce qui était mal aux yeux de Dieu » :

« Alors un homme tira de son arc au hasard, et frappa le roi d'Israël au défaut de la cuirasse. Le roi dit à celui qui dirigeait son char : Tourne, et fais-moi sortir du champ de bataille, car je suis blessé.

Le combat devint acharné ce jour-là. Le roi fut retenu dans son char en face des Syriens, et il mourut le soir. Le sang de la blessure coula dans l'intérieur du char. »

Son fils Joram, qui fut aussi roi d'Israël, sera tué de même au combat, d'une flèche entre les épaules.

Mes geôliers me révélèrent enfin que mon « guide aveugle » rencontré à Yport avait fait sa discrète demeure de misère non loin du lieu de l'obscure « forêt profonde » où s'était déroulée la cérémonie nocturne du mal dans le cercle de l'épouvante. C'est là où il dormait tant bien que mal dans un asile de fortune au creux de rochers (ressemblant à un *pithos*, une jarre en terre cuite… ou encore à une grande et large bouteille rétrécie au goulot), comme s'il était arrivé ici, par le miracle des flots, de mystérieuses contrées lointaines et exotiques. C'est là où il a dû se mettre à l'abri pour laisser passer la tempête et le déluge, comme dans un bateau proche du naufrage.

Le mendiant avait été en fait un grand poète, surtout connu dans son pays d'origine dont il était subitement parti sans laisser aucune trace. Je vais me dépêcher alors de rassembler les titres que je pourrai trouver de ses œuvres rares, souvent en petits tirages et difficiles à trouver ici à Paris. Bien que roumain d'origine il comptait curieusement dans ses ancêtres le dramaturge et poète parisien Étienne Jodelle qui fit partie, au seizième siècle, du mouvement de la Pléiade, dont il voulut appliquer les principes à l'art théâtral, utilisant ainsi le premier l'alexandrin dans la tragédie et lançant la mode du « théâtre à l'antique ». Celui-ci raviva en quelque sorte le culte théâtral à Dionysos (cf. la cérémonie potache de la « pompe du bouc », à Arcueil en février 1553, Arcueil où vécut Érik Satie…). Avec *Cléopâtre captive*, il écrivit la première vraie tragédie française à l'antique.

*

En réalité, je m'apercevais alors peu à peu avec quelques indices disséminés çà et là au cours des conversations - et je ne l'appris vraiment que plus tard - que ce n'étaient même pas à proprement parler l'aventure d'Isidore Dis ni encore l'assassinat de Pierre-Isaac Valmont, alias « Maître Pierre du Fourey », qui intéressaient véritablement les enquêteurs aguerris et chevronnés de cette discrète officine de police et de renseignement dans l'antichambre et les coulisses du pouvoir. Non, nous n'étions apparemment pour eux que deux simples « étapes » dans la résolution - qu'ils estimaient avec trop d'enthousiasme prochaine - du seul problème mathématique, de la seule question historique, de la seule affaire d'État qui semblait actuellement les captiver et mobiliser toute leur énergie et leur passion. En fait une opération secrète et nocturne de récupération des trésors royaux qui seraient partis des Tuileries en deux voitures, la veille même de la fuite aventureuse de Louis XVI et de sa famille. Ce trésor royal, précédant donc le roi, aurait rejoint Stenay dans la Meuse et peut-être été enfoui non loin de là à la citadelle de Montmédy ou à l'abbaye même d'Orval ou à l'une de ses dépendances (comme à Marville ou à Gérouville par exemple). Cette « fuite » du trésor royal fait écho à celle du trésor templier suite à l'ordre d'arrestation de la part du roi Philippe le Bel… Quel retournement de situation plusieurs siècles après !

Il est question aussi d'un château proche qui devait accueillir la famille royale en fin de périple. En France et non à l'étranger : « jamais je n'ai eu l'intention de sortir de mon royaume », affirma le roi devant le maire de Sainte-Ménehould lors de son retour vers Paris !

Les moines de l'abbaye d'Orval étaient-ils dans la confidence de la fuite de Louis XVI vers Montmédy ? Orval où l'investigateur de cette « évasion », le fidèle et dévoué marquis de Bouillé, était réfugié au moment de l'arrestation de son monarque. L'acharnement des républicains, en 1793, à envahir, piller et détruire l'abbaye, que les moines quittaient d'urgence, n'est certainement pas sans rapport avec cela.

L'opération clandestine, éminemment politique, répondait au nom de code de « Grand Monarque » (appelée aussi parfois « affaire de Péor et de Cozbi » !) et l'officier chargé de l'organiser avait comme nom de mission « Geoffroy de Charnay » (aux deux « y »). Je ne le connaîtrai d'ailleurs que sous son nom d'emprunt… Que de récupération et de manipulation !

On lui avait permis d'utiliser le réseau dormant d'une organisation secrète gnostique et paramilitaire fort suspecte, paradoxalement à la fois néo-templière et « survivantiste ». Celle-ci avait été fondée (ou seulement « manifestée » selon eux, dans une résurgence opportuniste…) à Paris en 1891 (date de la mort d'une mystérieuse comtesse Anna Sprengel…). Mais elle n'était apparemment que le paravent d'une abomination plus indicible, sous la dénomination sinistre de « La Fosse », en provenance lointaine d'Égypte (du dieu Seth) et de Moab (Kémosh le subjugueur et le guerrier, « l'abomination de Moab »).

A la tête de l'organisation « Le Filet », on trouvait alors un trio composé d'un Français (Alexandre Bélair) ainsi que curieusement de deux Russes (Kenneth Fédérovski et Moshé Gorski). Depuis quelques temps elle avait recours aux services d'une « médium » étrangère très puissante et entourée de mystère, mise en relation avec certaines entités antiques provenant de l'Est du Jourdain. Au cours de singulières séances de spiritisme et d'écriture automatique, elle donnait par bribes de précieux renseignements sur l'emplacement exact du trésor tant convoité. Les membres de ce groupe caché semblaient prendre très au sérieux ces révélations soit-disant obtenues de l'au-delà, issues de la « bouche d'ombre » (pour reprendre l'expression de Victor Hugo), alors que d'aucuns auraient considéré ces séances comme des fumisteries occultes, des subterfuges de mise en scène théâtrale pour appâter les gogos. En tout cas l'oracle des ténèbres parlait et sa parole était entendue jusqu'à certains cabinets ministériels. Ses prophéties annonçaient la mise en place, lente et progressive au cours des décennies à venir, d'un règne de la peur, d'un gouvernement par la terreur.

Geoffroy de Charnay était le dernier commandeur de l'Ordre du Temple pour la baillie de Normandie, le dernier à la tête de la commanderie de Sainte-Vaubourg, près de Rouen... Il mourut brûlé vif à Paris, sur l'Île aux Juifs, le 18 mars 1314 en compagnie de Jacques de Molay.

Un étrange parallèle s'établissait dans mon esprit entre l'Ouest et l'Est, entre les deux lieux sacrés de la commanderie de la forêt normande de Roumare et Sainte-Vaubourg. Ce « dédoublement » spatial me fit penser à ce que dit le narrateur de *La Demeure mystérieuse* de Maurice Leblanc :

« Oui, un miracle ! Il fallait un effort de logique et de raison pour dédoubler les deux visions et pour que l'esprit s'installât tour à tour dans deux endroits différents. Le coup d'œil initial et la pensée instinctive ne faisaient des deux spectacles qu'un seul, qui était à la fois là-bas et ici, près des Invalides et près de la place des Vosges. »

Cette sainte Walburge était une missionnaire anglaise de sang royal ayant vécu au huitième siècle, qui aurait passé la plus grande partie de sa vie à évangéliser les Germains du continent. Certaines de ses reliques ont été ainsi recueillies dans une église que fit construire Charles le Simple à proximité de la voie romaine de Reims à Trèves et de sa demeure d'Attigny. Dans ce petit village des Ardennes nommé Sainte-Vaubourg, à une cinquantaine de kilomètres au Nord-Ouest de Sainte-Ménehould. L'Église catholique a associé le nom de la sainte comme protection des fidèles contre les débordements de la fête païenne du renouveau de la nature, marquée par l'embrasement de grands feux et assimilée au sabbat des sorcières. Ici, en plein Paris du dix-neuvième siècle, il s'agirait ni plus ni moins que de la résurrection de l'antique culte du Baal de Péor…

De la boucle de Roumare au val d'Yport… La rencontre réelle de la forêt de Roumare n'était après tout peut-être qu'un rêve éveillé (comme celui de Dagobert II avant sa mort en forêt de Woëvre) et celle des songes de la nuit noire d'Yport finalement une apparition réelle d'une démone mésopotamienne, d'une succube au service de Lilith, d'une destructrice harpie de la bourrasque, d'une sensuelle sirène maritime, femme-oiseau au chant fatal qui attire et qui attache. Cauchemar de l'épouvante ou épouvante du cauchemar ? « *Je fus saisi de frayeur et d'épouvante, et tous mes os tremblèrent* ».

*

Je fus finalement relâché sans que je n'en comprisse très bien la raison subite, apparemment sur intervention de « quelqu'un de haut placé » comme quoi je ne leur étais plus utile, sans pouvoir en savoir davantage. Comme si tout se décidait ailleurs, dans l'ombre, et que je n'étais plus maître des événements (mais ne l'ai-je jamais été ?). Ce fut pour moi une véritable délivrance, tant j'étais persuadé que j'allais vraiment mal finir, retenu ainsi arbitrairement entre leurs sales mains aux basses besognes. Ma « collaboration » forcée, ma douloureuse coexistence avec cette puissance des ténèbres s'arrêtait enfin et j'ai appris en fait plus d'eux qu'eux de moi, je crois bien et heureusement… Me revoilà donc libre de mes faits et de mes gestes, mais mon « voyage à Montmédy », insolite et inattendu, a été brusquement écourté ! Ma route de la Colchide !

*

« Votre Majesté connaît mon attachement pour elle ; mais je ne lui ai pas laissé ignorer que si elle séparait sa cause de celle du peuple, je resterais du côté du peuple. Cela est vrai, répondit Louis XVI, vous avez suivi vos principes. Jusqu'à ces derniers temps, j'avais cru être dans un tourbillon de gens de votre opinion, dont vous m'entouriez à dessein ; j'ai bien reconnu dans ce voyage que je m'étais trompé, et que c'est aussi l'opinion de la France. - Votre Majesté, reprit La Fayette, a-t-elle quelques ordres à me donner ? - Il me semble, répondit en souriant le monarque, que je suis plus à vos ordres que vous n'êtes aux miens. »

IV.

Moy donc qui ay tout tel en vostre absence esté,
J'oublie, en revoyant vostre heureuse clarté,
Forest, tourmente, et nuict, longue, orageuse, et
noire

Heureux qui, comme Ulysse, a fait un beau voyage…

D'une nef d'Isis à l'autre… De retour donc à Paris (nouvelle ville d'Ys ?) où j'ai l'impression de revenir au point de départ, où le cercle est bouclé, sans avoir trop avancé (mais je me trompe certainement sur ce point…). J'ai trouvé au courrier une lettre, accompagnée d'une carte postale du musée du Louvre (peut-être veut-elle attirer mon attention sur ce lieu…), avec quelques mots plutôt sibyllins. Elle porte au dos cette simple phrase : « Votre âme est un paysage choisi… » et la signature « Blanche d'Estouteville, pianiste ». Voilà ce que celle-ci m'écrit dans la lettre, d'une petite écriture fine et délicate à l'encre violette :

« L'exactitude est la politesse des rois. Ce n'est pas que vous étiez *dans la lune* ou *à l'ouest* que vous avez manqué l'ami Pierrot et ses vieux bouquins. Depuis sa triste disparition il nous manque à tous, terriblement, tragiquement. Au moins venez m'écouter jouer au 25 avenue des Champs-Élysées, dimanche soir à 20 heures précises. Nous nous recueillerons en sa mémoire grâce à l'art de la musique qui guérit nos blessures. »

Et c'est aujourd'hui même ! Elle joint aussi le programme assez chargé de ce concert sur un papier à en-tête du *Traveller's Club* dont j'ignore tout : le premier mouvement de l'*Arpeggione Sonata* de Schubert ; la *Sonate au clair de lune* de Beethoven ; le *Nocturne n°2* de

Chopin ; les *Gymnopédies* et les *Gnosiennes* de Satie ; le Clair de lune de la *Suite bergamasque* et l'*Arabesque n°1* de Debussy. Plus tôt en fin d'après-midi était annoncée aussi une conférence sur la géopolitique du bassin méditerranéen, à laquelle je ne pense pas aller.

Au fait, j'ai oublié de vous dire que la carte reçue pour Pâques représente « *La Vierge au lapin* » du Titien. L'Enfant-Jésus est présenté à la Vierge dans les bras de sainte Catherine d'Alexandrie, dont le tombeau était vénéré et gardé par les moines du Mont Sinaï et qui était l'une des « voix » de Jeanne d'Arc. On retrouve curieusement une partie des reliques de sainte Catherine, apportées au onzième siècle par le moine Syméon, à l'ancienne abbaye bénédictine rouennaise de la Sainte-Trinité du Mont. Rouen qui était une étape cruciale et centrale sur ma route de Cergy (où je suis parti au moment de l'office de la nuit) à Yport (où je suis arrivé sous de fortes pluies le lendemain en fin d'après-midi)…

Examinant aussi l'enveloppe, un détail me saute aux yeux : celle-ci a été postée de Paris le jour même de la révélation publique du drame d'Yport ; le cachet de la poste faisant foi, selon cette expression dont la poésie me ravit… Ma mystérieuse inconnue semble se tenir au courant de très près de tout ce qui touche à mon affaire de livres et depuis à ma personne même.

De plus, un autre détail me revient subitement auquel je n'avais pas prêté attention jusqu'ici : elle accompagne sa signature d'un Y. Tout comme Pierre-Isaac à la fin de sa lettre fixant le rendez-vous ultime - certainement l'un de ses derniers écrits - signait étrangement son prénom ainsi : Pierre-Ysaac (graphie d'ailleurs plus proche de l'original hébreu). Depuis, comme un scribe sacré, je me suis entraîné à calligraphier parfaitement à la plume, en faisant des pleins et des déliés (avec la branche gauche large et celle de droite étroite), les différentes parties de la lettre du secret pour lui donner un maximum de sens, comme si je rejoignais en communion de sainteté la confrérie invisible. Ce n'est pas seulement une lettre mais aussi un symbole occulte, un signe d'appartenance. En dehors du symbole chimique de l'yttrium, c'est surtout le *pairle* héraldique (comme dans le blason de la ville d'Issoudun), pièce honorable formée par la partie inférieure du *pal* et les parties supérieures de la *bande* à l'angle *dextre* du *chef* et de la *barre* à l'angle *senestre* du *chef*. Ici le blason doit être lu comme dans un miroir.

Il est plus qu'intriguant de retrouver cette même « lettre de Pythagore », la vingtième de l'alphabet grec et la vingt-cinquième de l'alphabet latin - image parlante des deux routes, ou *bivium*, de la Vertu et de la

151

Volupté qui se présentent à Hercule ou encore de ce choix sur lequel s'ouvrent les *Psaumes* - dans le nom même d'Yport, qui dépendait autrefois de Criquebeuf. Comme le carrefour de la vie et de la mort. D'autant plus que l'on appelait souvent les Yportais les Grecs (sont-ce des Troyens ?), historiquement à tort ou à raison d'ailleurs ! Par ailleurs, l'endroit est attesté en 1217 sous la forme *Isport* ; comme à l'image de la légendaire ville d'Ys au royaume de Cornouaille (*Kêr-Is* en breton), qui périt dans les flots… Je sens que l'on peut ici se livrer à d'hypothétiques mais enrichissantes réflexions sur l'origine exacte du mot, comme dans les curieuses *Étymologies* d'Isidore de Séville, mon saint patron en sorte.

« *Y litteram Pythagoras Samius ad exemplum vitae humanae primus formavit; cuius virgula subterior primam aetatem significat, incertam quippe et quae adhuc se nec vitiis nec virtutibus dedit. Bivium autem, quod superest, ab adolescentia incipit : cuius dextra pars ardua est, sed ad beatam vitam tendens : sinistra facilior, sed ad labem interitumque deducens. De qua sic Persius ait (3, 56). Et tibi qua Samios deduxit littera ramos, surgentem dextro monstravit limite callem.* » (I, 3, 7)

Oui, en effet, je m'appelle Isidore Dis (comme il est écrit malheureusement sur la terrible tablette de défixion…). Figurez-vous qu'Isidore signifie étymologiquement « cadeau d'Isis », c'est tout un programme ! Quant à mon nom lourd à porter (signifiant « riche » !), on m'a dit qu'il pouvait faire penser au mystérieux et redouté dieu des enfers, Dis Pater... Mais comme Énée, descendu dans le monde souterrain et au moment où les chemins divergent, j'ai choisi à droite, par la bande, l'Élysée : « les champs du bonheur ».

J'ai découvert aussi que le village de Cergy d'où je suis parti est l'anacyclique du Y (I-grec) : YGREC-CERGY ! Le Y initial de l'un (tout comme celui d'YPORT) renvoyant à celui final de l'autre pour que la boucle soit bouclée, le cercle formé, l'assemblée ouverte.

Ce mystérieux Upsilôn (ou « u simple ») était enseigné aux Sébastikoï : « *Littera Pythagorae, discrimine secta bicorni...* » (selon le début d'un poème attribué autrefois à Virgile), lit-on sur une vieille gravure du dix-huitième siècle. Toujours et encore la mystérieuse figure et le signe de reconnaissance de notre Pythagoras dont le nom signifie « celui qui a été annoncé par la Pythie » !

On retrouve ce Y sur le blason moderne d'Yport créé dans les années 1900 par Joseph Boulard, l'instituteur érudit du village. Il fit représenter dans la partie haute la grenouille signalant l'appartenance à la châtellenie de Rames au dix-septième siècle, le lion des seigneurs d'Estouteville (premiers seigneurs connus) et les trois marteaux des Martel de Basqueville, famille possédant le fief au seizième siècle, et des Goustimesnil.

Pierre-Isaac aurait-il finalement disparu aussi pour avoir voulu révéler les secrets de la Fraternité de « ceux qu'on appelle pythagoriciens » (comme l'écrit Aristote) ? Je ne le crois pas, mais cela est troublant. Existerait-il donc aujourd'hui encore des disciples secrets du beau Maître de Samos, habillés de blanc et vivant une existence monacale sous la règle du silence ? Leur filiation, en passant de Virgile à Dante et à Pétrarque (on retrouve leurs statues dans la partie supérieure de l'escalier du vestibule d'entrée de l'Hôtel de la Païva…), remonterait au sud de l'Italie, dans la région de Tarente… Quelle aurait été au cours des siècles leur activité religieuse et politique ? Et leur lien quelque peu incongru avec les anciennes abbayes bénédictines ou cisterciennes de Normandie (cf. le pairle ondulé en forme de Y de la ville de Saint-Wandrille-Rançon) ou de Lorraine ?

Et que vient faire là cette bibliothèque utopique et mythique chez ceux qui ne voyaient pour leur science sacrée qu'une transmission ésotérique purement orale (tout comme chez les Druides), qu'il était interdit de communiquer à l'extérieur sous peine d'exclusion et peut-être même de mort ? Il paraîtrait même que, dans ses rayons labyrinthiques, serait conservé un très précieux livre antique d'« oracles sibyllins » que l'on croyait à tout jamais détruit par les flammes… L'empereur Tarquin le Superbe avait ainsi acheté à une Sibylle les trois derniers livres. On ne les consultait que très rarement, à l'occasion de graves événements et de cataclysmes. D'une manière générale ces « oracles » énigmatiques étaient vénérés et prédisaient l'ère chrétienne, établissant un pont entre les « païens » et la Révélation : d'un côté les douze Sibylles, de l'autre les douze Apôtres.

Que de questions sans réponses pour l'instant qui défilent dans ma tête fatiguée de réfléchir sur les voiles dont se revêtent la Sagesse et la Connaissance ! Cela dépasse largement ma pauvre intelligence déjà fortement malmenée… Et j'ai beau me torturer la cervelle et retourner la situation dans tous les sens, je ne comprends rien à cette histoire extraordinaire, ce conte cruel, n'ayant pas les bonnes cartes en main. Dans le doute je devrais m'abstenir…

Quelle faute ai-je commis ? Quel bien ai-je fait ? Quel devoir ai-je oublié ?

En prenant mon repas au *Bouillon Racine* près de la Sorbonne, dont j'avais fait ma cantine lorsque j'étais encore étudiant et que je vivais de transactions « au noir » de livres anciens, je me suis plu à rêver de théorèmes, de nombres géométriques, de divine proportion, de carrés magiques, de *tetratkys* et de *tétragramme* sacrés, de quadrature du cercle, de pentagrammes étoilés, de mathématiques et d'architecture sacrées et de musique des sphères… mais aussi de fantasmagories plus légères et d'imaginations poétiques. L'enseignement initiatique semble être aux origines sacrées de toute la philosophie grecque antique qui en découle, de manière souvent fragmentaire, déformée, voire trahie. Mais qui sait encore aujourd'hui remonter à la source ?

Qui ne sait point nombrer ne sait point philosopher.

Tout est nombre ! Tout est nombre ! Cette sentence lapidaire me poursuit désormais, elle qui devait tant plaire à Pierre-Isaac passionné au plus haut niveau par les divines mathématiques. Mais j'ai peur de sombrer peu à peu, comme avait pu malheureusement le faire le pauvre Gérard de Nerval (« Ne m'attends pas ce soir car la nuit sera noire et blanche »), dans un délire interprétatif, m'égarant avec effroi et ravissement dans cette forêt obscure de signes et d'indices, dans cette mer houleuse, dans ce champ nocturne du savoir, dans ce labyrinthe où j'ai dû me perdre pour me trouver. Me retrouver peut-être comme si je m'étais quelque peu perdu de vue, m'éloignant de moi-même dans une inquiétante aliénation. Et heureusement que j'ai suivi mon fil d'Ariane comme Rouletabille le droit fil de la raison, pour passer du carré au cercle !

« Nombrer » c'est *mesurer* et *tracer* mais aussi *calculer*. Dans l'*Apocalypse*, il est question d'un « caillou blanc » (« *calculus candidus* » offert à celui qui obtient la victoire et auquel il est donné un nom nouveau et secret. Lemaistre de Sacy traduit par « pierre blanche ». En latin, *calculus* désigne d'une manière générale le caillou, mais aussi plus précisément le caillou pour voter ou celui pour calculer. En grec, le mot employé pour « caillou » est *psêphos* (d'une racine grecque signifiant « toucher »). Dans les anciennes cours de justice l'accusé était condamné par des cailloux noirs, ou acquitté par des cailloux blancs. *Psêphos* désigne aussi élection, droit de vote, suffrage (à cause de cette utilisation de cailloux pour voter). Dans l'antiquité, les Grecs et les Romains avaient par ailleurs l'habitude de sceller leur amitié pour quelqu'un et de la perpétuer avec une pierre blanche. Cette pierre divisée en deux parties, chaque ami inscrivait son nom sur la face d'un fragment de la pierre, puis on échangeait les deux moitiés de la pierre. Il suffisait, à un moment donné, de montrer l'une ou l'autre moitié de la pierre pour obtenir un appui ou une assistance amicale. La pierre, divisée en deux parties, devenait ainsi une pièce d'identification. « *Un ami c'est un autre moi* ».

Comme il me reste du temps à tuer en ce début d'après-midi, je finis la lecture de deux volumes in-12 que j'ai empruntés à ma librairie. Il s'agit de *La Vie de Pythagore, ses Symboles, ses Vers dorez & la Vie d'Hiéroclès* (Paris, 1706) par M. Dacier, Garde des Livres du Cabinet du Roi.

*

Ne dis pas peu de choses en beaucoup de mots, mais dis beaucoup de choses en peu de mots.

Sinon je suis bien allé au concert donné par Blanche d'Estouteville et son frère (au violoncelle pour le premier morceau) dans le prestigieux grand salon de l'Hôtel de la Païva (« le Louvre du cul » selon les frères Goncourt !), cette poule du Second Empire vivant de luxe et de luxure, née de condition modeste à Moscou de parents juifs polonais. Cette aventurière russe de basse condition deviendra ainsi marquise portugaise, puis comtesse prussienne ! Croqueuse d'hommes riches et de diamants, Esther (ou Thérèse de son prénom de courtisane) a fait construire, grâce à de puissants industriels, ce magnifique palais à la richesse ostentatoire, temple mondain du tout-Paris de la grande prostituée aux charmes envoûtants. Que venait donc faire ici la séduisante et douce Blanche, la belle Colombine, la perle rare et précieuse aux reflets de lune, dans ce bordel doré qui a vu tant de turpitudes et de manigances ? Rien ne semble pouvoir heureusement l'atteindre dans sa pureté et son intégrité…

Blanche - Blanche Marie Sibylle de son état civil exact - qui est ma reine, mon Ariane et mon étoile après les épreuves, la pierre blanche de la victoire et du trésor royal retrouvé. Blanche qui est « le bout, le port, le jour ». Blanche qui est ma mystérieuse et sublime marquise Tullia Fabriana, demeurant dans son élection au sein de son « palais enchanté » loin des vicissitudes et des vaines agitations de ce monde :

« Le palais Fabriani était un labyrinthe superbe dont les méandres cachaient un ordre savant. Les grands architectes florentins du XVe siècle y avaient dépensé un soin et une magnificence de plans extrêmes. La marquise n'y avait rien changé, - ou que fort peu de choses. Les secrets intérieurs de ce palais dataient de deux cents ans et, seule, dans ce monde, elle en tenait le fil d'Ariane. » (Villiers de l'Isle-Adam, *Isis*, chapitre 10).

A la fin du concert auquel j'avais été invité par la jeune pianiste virtuose, nous avons été présentés et nous avons pu échanger quelques propos d'une banalité sans grand intérêt. C'est là qu'elle m'a donné sa carte de visite personnelle. Depuis, je n'ai pas arrêté de penser à elle comme si elle incarnait parfaitement l'idéal féminin que je recherchais, ma belle étoile luisant dans la nuit de mon incertaine existence aventureuse, mon « bien », mon « heureuse clarté ». Et nous avons pu nous revoir parfois dans le quartier latin pour de bons repas, de longues discussions passionnées, de belles promenades et flâneries sentimentales, visitant ainsi le musée de Cluny (où se trouve aujourd'hui la pierre tombale de Nicolas Flamel…), nous arrêtant dans son jardin, et jusqu'à la Tour Saint-Jacques ou la « maison au grand pignon » du 51 rue de Montmorency… Elle aimait me faire part aussi de sa passion pour la poésie française du seizième et du dix-neuvième siècles. Nous avons même assisté à une représentation de l'opéra *Pelléas et Mélisande* de Debussy, d'après le livret de Maurice de Maeterlinck reprenant l'ancienne histoire tragique de Tristan et Yseut. C'est elle qui insiste pour écrire le nom de cette dernière avec un Y, voyant dans ce « couple » de légende (tel celui de Lancelot du Lac et de la reine Guenièvre) la préfiguration de l'idylle entre le comte suédois Axel de Fersen et la reine Marie-Antoinette… Lorsqu'elle me parlait, elle avait pris l'habitude de m'appeler par mon deuxième prénom qui est Benjamin : « le cadet tout comme Jacob, mais pas en tout cas le cadet de mes soucis » selon ses propres mots… A l'occasion elle me révéla qu'elle avait beaucoup d'admiration pour la « comtesse Blanche » (que je n'identifiais pas à ce moment, la confondant avec Blanche de Castille, la mère de saint Louis qui avait fondé l'abbaye de Maubuisson près de Pontoise). Il s'agit en fait de la comtesse palatine de Troyes, épouse de Thibaut III, comte de Champagne et de Brie.

Nous nous donnions alors toujours rendez-vous devant l'imposante Fontaine Saint-Michel (oui, je sais, ce n'est pas très original…) gardée de ses deux chimères ailées crachant de l'eau. Elle a pu m'en expliquer la signification hermétique et son rôle dans une certaine géographie sacrée de la capitale des anciens *Parisii* celtes et de la France en général, protégée par l'Archange victorieux. Il faut dire que nous ne sommes pas de simples touristes à Lutèce (qui viendrait d'un mot signifiant « boue », *lutum* en latin)… Mon amie m'a surtout signalé le développement historique *vers l'ouest* de Paris et mis en garde contre le codage égyptien de la ville, véritable « marquage » magique, surtout depuis Napoléon. Elle connaissait beaucoup de choses sur les grands personnages historiques de la France, particulièrement sur Jeanne d'Arc exécutée à Rouen, à laquelle elle paraissait s'identifier quelque peu. De même que sainte Thérèse de Lisieux l'avait incarnée dans une pièce de théâtre jouée au sein de son Carmel…

Elle aimait aussi beaucoup me parler de vestiges templiers qu'elle semblait bien connaître, notamment dans la forêt de Rennes et dans celle de Roumare ; ainsi qu'à Saint-Hilaire-du Maine, au Sud d'Ernée, où l'on trouve aussi un lieu-dit « La Pierre Blanche ».

Depuis qu'elle est repartie pour sa Bretagne mythique, et moi dans ma « Bretonnerie », j'ai reçu deux autres courriers de ma Blanche Hermine, de ma Fleur de Lys, où avec peu d'encre il lui était possible de révéler beaucoup de secrets de l'existence. Le sentier mystérieux de la vie - ma propre vie - où l'on doit choisir le « chemin escarpé de la vertu », « une approche difficile à flanc de montagne ». D'une manière générale elle a fait preuve pour moi d'un profond et subtil « discernement », me montrant la « droite voie » et la « juste mesure ». Elle est pour moi ma si belle Sibylle de Cumes, me montrant où cueillir le rameau d'or et m'expliquant le sens caché de ses oracles obscurs. Elle qui est si lumineuse…

*

Dans sa seconde lettre se trouvaient cette fois-ci deux cartes postales. La première représentait la magnifique icône de *La Vierge à l'Enfant* (certainement du dix-septième siècle) qui se trouve dans le bas-côté sud de la nef de l'église melchite de Saint-Julien-le-Pauvre, aux chapiteaux de feuilles d'acanthe et de terribles harpies, toujours dans le quartier latin. Saint Julien à qui j'essaie de ressembler dans sa fonction de *passeur* d'une rive à l'autre, tel qu'il est montré sur un bas-relief médiéval en pierre que l'on peut voir rue Galande. C'est dans cette rue que se trouvait autrefois la chapelle Saint-Blaise, siège de la confrérie des maçons charpentiers.

Au dos était écrit :

« Cherchez le miracle eucharistique des pains transformés en roses et des buissons d'aubépine sauvage qui fleurissent en hiver. Ouvrez et élevez votre cœur. ».

J'aime beaucoup assister à la Divine Liturgie de saint Jean-Chrysostome dans cette petite église très ancienne qui fait face à Notre-Dame de l'autre côté de la Seine et qui était liée à l'Université au Moyen Âge. Le plus impressionnant des offices est selon moi celui de l'*épitaphios* du Vendredi Saint, aux magnifiques chants orientaux des pleureuses lors de la descente de la croix (je repense ici aux sept « pleurants » du

tombeau d'Amboise dans la cathédrale de Rouen…).
Cette Vierge orientale, couronnée par deux anges et
richement vêtue, tient délicatement entre le pouce et
l'index de sa main droite une rose mystique violette…

*Lorsque vous vous êtes abaissé jusqu'à la mort, vous, la
Vie immortelle, vous avez paralysé la mort par l'éclat de votre
divinité ; lorsque vous avez ressuscité les morts du fond des
enfers, toutes les puissances des cieux s'écrièrent : Ô Christ, vous
qui avez donné la vie, vous, Dieu, gloire à vous ! […]*

*Vous qui êtes la Vie, vous avez été mis au tombeau, ô
Christ. Vous avez détruit la mort par la mort, et vous avez fait
jaillir la vie dans le monde. […]*

*Comment l'enfer a-t-il pu supporter ta présence, ô
Sauveur, et ne s'est-il pas brisé sur le champ, assombri et aveuglé
par l'éclat de ta lumière ?*

*

L'autre carte, une fois encore du Musée du
Louvre, montre le célèbre portrait dit « à la Rose » de
Marie-Antoinette, peint par Élisabeth Vigée Le Brun
et exposé au Salon de peinture et de sculpture en 1783.
Cet extraordinaire tableau montre la reine à mi-corps
vu de trois-quarts, dans une robe de soie grise
largement ouverte sur sa poitrine, portant dentelle,
perles et chapeau et tenant une rose blanche de la
main gauche et un ruban qui y est attaché de la main
droite. Ce portrait est flatteur et intimiste, tout en

douceur et délicatesse, et relativement sensuel avec la poitrine royale dénudée au centre de la toile. La reine y semble nous regarder droit dans les yeux tout en confectionnant son bouquet de roses. Par rapport au modèle original, dit « en gaulle », qui a disparu et aux cinq répliques avec variantes qui en furent tirées par l'artiste, celui-ci se détache nettement par son harmonie et sa simplicité, dégageant une atmosphère générale saisissante dans un contraste avec l'arbre sombre en arrière-plan. La scène se passe très certainement au Petit Trianon qui était son Versailles à elle, son royaume personnel, son domaine de prédilection. On prête à Louis XVI ce mot : « Vous aimez les fleurs, Madame, j'ai un bouquet à vous offrir. C'est le Petit Trianon ».

Blanche avait inscrit au dos ces quelques mots énigmatiques :

« La Voûte et la Route… Le Prieuré et la Tour… Cherchez la mystérieuse pierre blanche, la pierre du verbe perdu, notre pierre de Béthel. Baronne de K. »

Ne faut-il pas lire dans cette signature une allusion historique à la fictive « baronne de Korff », veuve d'un colonel russe, pour laquelle on fit passer la marquise Louise-Élisabeth de Croÿ de Tourzel, qui accompagna la reine Marie-Antoinette lors de sa fuite du Palais des Tuileries ? Elle fut la dernière gouvernante des enfants royaux et la propriétaire du château d'Abondant. Le pseudonyme choisi renvoie curieusement à la famille von Korff, de la noblesse immémoriale de Westphalie, en Allemagne. Celle-ci avait justement une fleur de lys comme blason, avec la devise « *Fide sed cui vide* », particulièrement de circonstance ici !

J'ai l'impression ici, qui sera confirmée par la suite à de nombreuses reprises, que Blanche à la houppe dentelée voulait jouer avec moi à un curieux « jeu de rôles » où chacun de nous deux « incarnait » un personnage d'histoire ou de légende, parfois un personnage dédoublé dans le temps et dans l'espace. Nous pouvions ainsi ensemble nous inventer d'autres existences, nous réinventer sans cesse, vivre d'exaltantes aventures sans bouger du lieu où nous étions, explorer de nouveaux horizons, nous découvrir sous diverses facettes… C'était là certainement un amusement de jeunesse dorée de sa part, qui pouvait sembler assez naïf et puéril comme un simple passe-temps d'enfant gâtée, comme Marie-Antoinette jouant à la paysanne normande à Versailles. Mais le déguisement cachait une réelle identité et l'exercice revêtait souvent aussi un aspect beaucoup plus solennel et rituélique, dans une mise en scène théâtrale précise et déterminée, où rien n'était laissé au hasard et où comptaient le décor, les costumes et l'intrigue, et chaque mouvement, chaque geste, chaque regard, chaque parole donnée et reçue. Le jeu était sérieux et valait la peine.

« Entre gens de goût, vous me jouerez Saint-Gengout, dans mon Théâtre de la Reine que j'ai fait construire au Petit Trianon. Mais j'espère que vous ne finirez pas comme lui, malheureux cocu (*rires*).

Mais non ! Je vous rassure, mon délicieux comte, ce ne sera pas le cas pour vous. Je vous serai irrémédiablement fidèle jusqu'à la mort, à vous l'objet de tous mes désirs. Je vais finir non pas sans vous dire mon cher et bien tendre ami, que je vous aime à la folie et que jamais, jamais, je ne peux être un moment sans vous adorer. Promenons-nous tranquillement le long de l'Amance, la rivière des amoureux…

Vous serez pour moi mon beau prince charmant que j'attends tant, le mystérieux et ténébreux « prince d'Argonne » tant attendu. »

*

Pourquoi vouloir me faire jouer à tout prix ce curieux personnage de « Saint-Gengout » ? Je fis donc des recherches et découvris que l'ancienne église de Varennes-en-Argonne se nommait justement *Saint-Gengoult* ! Il s'agit de saint Gangolf d'Avallon (ou de

Bourgogne), ayant vécu au VIIIe siècle. Son nom, du germanique Gangulf, signifie « loup agressif » (en latin : *Gangulphus*). Comme cela était marqué au fronton de la « Demeure de Lumière » d'Yport et sur le « talisman » de Pierre-Isaac : ce n'est que maintenant que je fais le rapprochement.

Son premier culte est associé au monastère de Varennes-sur-Amance (un autre Varennes, près de Langres !), qui recueillera ses reliques. Ce seigneur de Bourgogne et grand guerrier y est né et en possédera la terre. Après sa mort la propriété en sera transférée à la famille de Choiseul. On trouve encore aujourd'hui sur cette commune une Chapelle Saint-Gengoulph. On rapporte aussi qu'il se serait réfugié, après s'être séparé de son épouse, dans un ermitage près d'Avallon (cf. l'« île d'Avalon », séjour d'immortalité…), en Bourgogne.

Quant à la mention « Le Prieuré et la Tour… », je pense logiquement que le Prieuré en question serait donc Saint-Gengoulph de Varennes-sur-Amance. Peut-être mystérieusement lié au Prieuré Saint-Dagobert à Stenay…

Et la Tour pourrait être cette « Tour de l'Horloge » (à la fois emblème de la Tempérance et de la Force) qui se trouve à la fois à Varennes-en-

Argonne et à Avallon. Cette dernière ville a d'ailleurs comme blason : « *D'azur à une tour d'argent maçonnée de sable* », avec comme devise : « *Esto nobis, Domine, turris fortitudinis* » (« Soyez pour nous, Seigneur, la plus forte des tours ! »). Ces deux « tours jumelles » me font penser aussi au Gros-Horloge du vieux Rouen…

∗

La quatrième et dernière carte reçue, dans un nouveau courrier, montre quant à elle la sixième tapisserie (apparemment sur huit à l'origine), dite « Mon Seul Désir », de *La Dame à la Licorne* qui se trouve au Musée de Cluny (où l'on retrouve de gentils petits lapins et une cassette où elle range son collier…), avec au dos écrite cette phrase laconique qui sonne à mes oreilles comme une certaine déclaration, comme si s'était tissé entre nous un fort nœud de huit d'or, un puissant lac d'amour :

« En attente d'une promenade en tendres et fidèles amis au « clair de lune triste et beau » de Dinard, en face des remparts de feu de Saint-Malo. Je me suis permis de vous réserver une chambre à l'hôtel Saint-Michel, où je pourrai vous rejoindre en voisine de ville pour le petit-déjeuner. A.M.S.D.R. *Semper fidelis.* ».

Et l'on retrouve trois croissants de lune d'argent montants (en fait les armes des Le Viste) sur ces tapisseries d'inspiration gothique... Il est fort probable que, construites autour d'une lecture allégorique des cinq sens, elles seraient l'œuvre de Jean Perréal, dit Jean de Paris, peintre mystérieux et poète lié aussi au « noble art d'alchimie et profonde philosophie ». Il critique ainsi, au nom de la vraie Philosophie hermétique, les « souffleurs » ou « alchimistes errants » qui ne respectent pas les enseignements de Nature. On dit que Louis XII aurait décidé de se marier avec Mary, union du lys avec la rose, après avoir contemplé son portrait peint par Perréal... Le commanditaire des tapisseries serait quant à lui Antoine Le Viste, mort en Bretagne en 1534. On dit aussi qu'Antoine avait secrètement noué un « lac d'amour » avec Mary...

Selon certains, entre réalité rêvée et rêve réalisé, la Dame de la tapisserie ne serait donc autre que Mary Tudor d'Angleterre (morte en 1533), la descendante de la branche dite de Valois de la dynastie capétienne, la jeune veuve de Louis XII (82 jours de mariage et 133 larmes sur la tente), dite la « Reine Blanche » et dont la devise était : « La volonté de Dieu me suffit ». Portant la cordelière en filet à nœuds ou cordon de la veuve, elle avait été gardée enfermée pendant quarante jours à l'hôtel des abbés de Cluny pour vérifier qu'elle n'était pas enceinte du roi de France. A cet enfermement de Mary fera écho, plusieurs années plus tard, la capture et l'emprisonnement de François Ier lui-même lors de l'humiliante défaite de Pavie...

C'est encore dans la chapelle de Cluny qu'elle s'unira avec Charles Brandon, duc de Suffolk, dans un mariage secret : désormais Mary Suffolk Duchesse Reine. Comme elle n'a pas pu donner d'héritier à la couronne de France, elle est repartie dans l'« îlot de verdure » de l'Angleterre, reine sans couronne. Sa dame de compagnie, quand elle était reine de France, n'était autre que Claude de France, la future femme de François d'Angoulême (François Ier), lui-même fils de Louise de Savoie. Notons au passage que Claude de France avait de son côté pour emblème l'hermine et pour devise « Un seul désir ».

La rivalité était forte entre l'œillet de France et la rose d'Angleterre (cf. les roses rouges d'York et les roses blanches de Lancastre). D'autant plus que Mary Tudor était accusée d'avoir pillé le coffre de l'État français, dans la fuite des joyaux au profit d'Henri VIII d'Angleterre, son propre frère : « miroir de Naples » (gros diamant carré jamais rendu à la France), perles fines et diamants. Ce ruisseau de richesse semble s'écouler des mains de la Dame vers le coffret, dans une restitution obligée.

*

Je me suis beaucoup interrogé sur le contenu imagé et écrit de ces quatre cartes postales reçues, ainsi personnalisées pour moi seul. Dans ces portraits féminins : deux fois la rose, deux fois la Vierge Marie et deux reines de France évoquées…

Blanche d'Estouteville - ma reine blanche et mystérieuse et si belle Dame à la Licorne pleine de son désir d'enfant - se montra pour moi (son chevalier au lion), à plusieurs reprises, comme la prêtresse de Delphes, prophétesse extatique et oracle inspiré du temple d'Apollon qui, parfumée de lauriers, descendait dans l'adyton et s'asseyait au trépied sacrificiel au-dessus des vapeurs du gouffre béant. Elle est comme la prophétesse Bacbuc, « la noble Pontife » portant une sorte de *pallium* épiscopal en forme de Y, l'oracle faisant entendre « le mot de la Dive Bouteille ». Ses paroles étaient souvent des énigmes ou des devinettes sous forme poétique, comme les questions de la reine de Saba et du Midi (on a pu aussi comparer à l'époque Louis XII et Mary Tudor à Salomon et à la reine étrangère…). Elle paraissait tout savoir sur l'Histoire de France - passée, présente et future - et sur mon avenir personnel aussi, mais d'une manière mystérieuse et détournée, comme dans un miroir obscur et magique en quelque sorte. Mais cette Pythie solaire ne semble pas avoir prédit la mort violente et tragique du messager livresque d'Yport, qui finit sous les palmes du martyre. Comme quoi nul n'est parfait… On ne voit pas bien souvent ce qui nous touche au plus près !

« Mlle Dorothée (elle salua) fait preuve également du mérite le plus rare dans le domaine de la clairvoyance et de la suprasensibilité. Les lignes de la main, les cartes, le marc de café, la graphologie et l'astrologie n'ont pas de secrets pour elle. Elle dissipe les ténèbres. Elle déchiffre les énigmes. Avec sa baguette magique, elle fait jaillir les sources invisibles et, en particulier, elle découvre dans les endroits les plus insondables, sous les pierres des vieux châteaux, et au fond d'oubliettes inconnues, des trésors fantastiques dont personne ne soupçonnait l'existence. À bon entendeur, salut ! C'est pour avoir l'honneur de vous remercier. » (Maurice Leblanc, *Dorothée, danseuse de corde*)

*

Aujourd'hui je vais beaucoup mieux, mais je n'ai pas découvert tout seul ce croisement au carrefour de ma vie (comme Dante au milieu de la sienne…) : elle me l'a annoncé, car elle détient le secret du *pal* de la route menant au Bien ou au Mal selon le choix de chacun, me révélant à moi-même et m'interdisant et me barrant dès lors l'accès aux domaines obscurs et aux gouffres infernaux. Ceint de la couronne d'Héraclès, je suis remonté du palais des ombres... Au sortir d'une forme d'ignorance inquiète, elle m'a conduit sur une nouvelle route pleine de liberté et de paix, un chemin royal de l'exactitude intérieure opposé au chemin battu et rebattu de la facilité et de la négligence qui mène à la destruction de soi-même et à la faillite de toute espérance. J'ai rattrapé mon retard et suis toujours à l'heure, *hic et nunc*. J'ai même commencé une belle collection de montres anciennes et modernes !

Et j'ai enfin compris le sens de ce symbole énigmatique : « *Ne vous regardez pas au miroir à la clarté du flambeau* ». Ce miroir c'est le mystérieux miroir de la licorne...

J'ai appris aussi que la famille d'Estouteville portait un lion noir sur ses armoiries (« *burelé d'argent et de gueules au lion de sable, armé, lampassé et couronné d'or* »), peut-être celui du « portail des libraires » de la cathédrale de Rouen. Elle possédait autrefois, au cœur du Pays de Caux à l'est de Fécamp, le château de Valmont fondé au douzième siècle et s'élevant sur un éperon rocheux. Ces armes se retrouvent dans le blason moderne de la ville d'Yport comme nous l'avons vu... A son arrivée dans le village, elle permit à celui-ci de connaître un véritable essor. Descendante des Vikings, la noble et ancienne famille du diocèse de Rouen à laquelle appartient Blanche compte plusieurs personnages importants dans l'histoire de la Normandie. Ainsi, Robert Ier d'Estouteville combattit les Anglais aux côtés de Guillaume le Conquérant à Hastings en 1066. Guillaume d'Estouteville (mort en 1483) fut cardinal-archevêque de Rouen et légat pontifical au procès en nullité de la condamnation de Jeanne d'Arc et possédait un magnifique hôtel à Pontoise (devenu aujourd'hui le Musée Tavet-Delacour) ; la ville même où je demeure dans l'élection mystérieuse de mon lieu véritable, de ma place authentique… Louis d'Estouteville défendit le Mont Saint-Michel contre les Anglais et Jacques d'Estouteville transforma le château en citadelle défensive au quinzième siècle… Au cours des siècles, il y aura aussi une alliance avec la famille tout aussi vénérable des Gouyon-Matignon qui portent de même un lion (*de gueules*) dans leurs armes. *Honneur à Goÿon, Liesse à Matignon !* Et dire que c'est dans l'hôtel particulier parisien de cette noble famille que réside désormais le premier ministre français…

Figurez-vous que j'avais déjà vendu à la Banque de France d'énormes livres de comptes manuscrits, des originaux uniques de la fin du dix-neuvième siècle, issus de son établissement même et qu'un de mes clients chanceux avait simplement récupéré à l'abandon sur un trottoir il y a quelques années. On y trouvait les mouvements des plus importantes fortunes françaises de l'époque longuement détaillés à la plume, travail méticuleux digne d'un copiste bénédictin ! Revendre ainsi ce qui a été abandonné à celui qui l'a abandonné ! Voilà un juste retour des choses.

Mais là ma librairie a reçu entre temps une prestigieuse commande de la part même de la Présidence de la République Française (qui naquit le 22 septembre 1792, comme une suite logique à l'évasion ratée de la famille royale…), voulant apparemment faire un cadeau diplomatique symbolique marquant une alliance politique aux raisons mystérieuses. Sur celle-ci il ne m'a été fourni aucune information et il m'a été demandé expressément de ne pas poser trop de questions. L'État Français n'a pas discuté le prix d'acquisition exorbitant que j'avais pourtant exagérément gonflé. Tant mieux pour moi !

Cet ouvrage, qui ne figurait pas encore sur mon dernier catalogue de vente de livres anciens et modernes, était un grand recueil manuscrit hétéroclite, dans une somptueuse reliure en maroquin in-folio, composé d'une large correspondance diplomatique, de diverses études politiques, archéologiques et religieuses, de nombreuses gravures sur bois et de fines aquarelles au sujet de l'histoire, ancienne et récente, de la Turquie. On y trouverait certains renseignements précis d'une grande importance, certaines localisations de forces puissantes…

Me voilà donc avec mon volume précieux (ainsi que la grande carte du pays repliée qui est jointe avec) sous le bras, à me rendre dans le château républicain aux secrets inavouables bien gardés. J'étais attendu par un ministre en personne, dont le secrétaire d'État m'avait donné un laissez-passer, véritable rossignol qui m'ouvre un instant toutes les portes des allées du pouvoir. Mais que faisais-je donc là ? Qu'allait-on faire en haut lieu de ces savants documents ? Et pourquoi donc la Turquie ?

Quant à moi, je suis depuis revenu plusieurs fois à Yport (oubliant Étretat pour l'instant…). J'y ai cherché en vain la « Demeure de l'Esprit-Paraclet » (où l'on trouvait les initiales N. et F. inscrites sur la façade de l'entrée de derrière…), dont on m'avait tant parlé en détails, avec beaucoup de descriptions précises et d'histoires passionnantes que l'on n'a pas pu inventer entièrement. Impossible de la trouver - de la retrouver plutôt - à croire qu'elle n'a jamais existé si ce n'est dans mon imagination et dans les récits qui ne devaient pas être pris « au pied de la lettre » ; du moins peut-être dans notre état de conscience et niveau d'existence actuels. Cette demeure mystérieuse et fantastique est soit vraiment bien dissimulée dans un recoin insoupçonné de cette petite cité balnéaire (mais comment donc dissimuler une grande maison aux yeux des mortels ?), soit dans un autre plan de réalité, un autre monde féerique auquel nous n'avons pas normalement accès, en quelque sorte un univers parallèle. C'est là le refuge et la citadelle, dans ce mystérieux Haut-Pays des Falaises, de l'Église invisible, de l'Assemblée cachée de la bénédiction divine, qui se réunit exceptionnellement à la veille de grands événements ou menaces pour l'humanité (guerres, épidémies, cataclysmes naturels, crises économiques, etc.). Ainsi arrivent des quatre coins de l'Europe ces nobles voyageurs, ces pèlerins anonymes et silencieux qui se réunissent d'un même cœur pour prier ensemble et conjurer le mauvais sort au seul Nom de Dieu. Car heureusement « l'enchantement ne peut rien contre Jacob, ni la divination contre Israël ».

Par contre je suis devenu un heureux propriétaire, par des voies assez curieuses et originales, d'une jolie petite maison ancienne de pêcheur, une maison secondaire de repos que j'ai pu acheter en partie grâce à la commande somptueuse de l'Élysée.

J'aime y venir, plein d'un saint Désir et protégé dans la communion des saints et des saintes qui m'entourent : sainte Austreberthe et son loup, sainte Walburge et son livre et sa fiole de liqueur embaumée, sainte Ménehould et sainte Vaubourg, saint Gorgon, saint Guillaume de Volpiano, saint Martin de Tours, saint Sébastien, saint Lubin de Chartres, saint Julien l'Hospitalier le passeur, saint Léger d'Autun, saint Gengoult le loup et saint Fraimbault le chevalier, saint Dagobert II le martyr, saint Félix de Valois, sainte Roseline de Villeneuve, sainte Germaine de Pibrac et sainte Thérèse de Lisieux, etc. Elle n'était pas trop chère car la toiture était à refaire. Tout comme mon existence. C'est désormais pour moi une nouvelle vie où j'ai enfin rendez-vous avec mon destin, en contact permanent avec cette mer à la fois régulière et surprenante, mystérieuse et puissante comme la vie.

Le monde est une comédie dont les philosophes sont les spectateurs.

Table des matières